umario

ANDES ESPACIOS / OUTDOOR
00 / 7,90 €

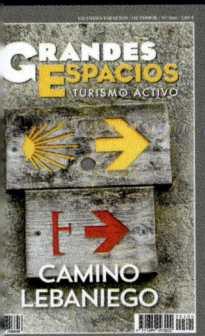

O DE PORTADA
les del Camino Lebaniego y del
ino de Santiago.
Darío Rodríguez

w.desnivel.com/grandesespacios

TA: Ediciones Desnivel S.L.
an Victorino nº 8 • 28025 Madrid.
913 602 242 • Fax: 913 602 264
ndesespacios@desnivel.com
w.desnivel.com

ctor: DARÍO RODRÍGUEZ.
actora: EVA MARTOS.
ctor de arte: GREGORIO ARRANZ.
licidad: MARÍA ÁNGELES TRUJILLO.
ribución: MARÍA JOSÉ SANTAMARÍA

rime: Nueva Imprenta. Papel ecológico
almente libre de cloro). Distribuye: SGEL.
ósito legal: M-39544-1995
N: 1699-093000.
N: 978-84-9829-684-6

scripciones
éfono: 91 360 26 20
rario de 9 a 16:00 h).
scripciones@desnivel.com
w.desnivel.com/suscripcion

EN ESTE NÚMERO

Agradable caminata por el Val d'Aran en verano, con el espectacular salto de agua Saut deth Pish a la izquierda.

ORIOL CLAVERA

LLEIDA,
TODO LO QUE BUSCAS ESTÁ EN EL INTERIOR

Con un compromiso firme hacia la sostenibilidad, Lleida se posiciona como un destino de turismo activo de primer nivel, ofreciendo una combinación única de naturaleza espectacular y patrimonio cultural, además de un trato cercano y acogedor.

ORIOL RIART

ORIOL RIART

ORIOL CLAVERA

ORIOL CLAVERA

Es una tradición ancestral en muchos pueblos del Pirineo dar la bienvenida al solsticio de verano con fuego y, más concretamente, con las espectaculares bajadas de fallas. Las majestuosas serpientes de fuego que recorre las laderas de las montañas de los pueblos de las comarcas de El Pallars Jussà y El Pallars Sobirà, La Val d'Aran, L'Alta Ribagorça y L'Alt Urgell anuncian que los meses de verano han llegado y, con ellos, el tiempo de escaparse a la naturaleza, de vivir experiencias y aventuras extraordinarias y de descubrir nuevas propuestas turísticas, ya sea solo, en pareja o acompañado de toda la familia. Es en la de-

marcación de Lleida donde confluyen todas estas oportunidades. Sus parajes naturales se convierten en esta época del año en un escenario espectacular para la práctica del turismo activo, sea por tierra, agua o aire, y todo el patrimonio monumental, histórico y cultural repartido por los pueblos del Pirineo y las Terres de Lleida configura una opción perfecta para los que buscan disfrutar del tiempo de ocio de calidad.

Navegar, surcar los cielos o caminar

Navegar río abajo, descubrir bosques y paisajes a pie o en bicicleta, e incluso observar el territorio a vista de pájaro mien-

tras surcas el cielo: en Lleida todo es posible. El turismo activo y de aventura es uno de los principales atractivos de esta tierra durante los meses de verano, convirtiendo sus comarcas en un referente nacional e internacional. Esto se demuestra con las 277 empresas distribuidas en las 13 comarcas de la demarcación y los más de 800.000 servicios contratados el año pasado, que generaron un impacto económico de más de 111 millones de euros.

El senderismo y el trekking son las actividades más populares en tierra firme, con parajes excepcionales y centenares de rutas señaladas por todo el territorio, adecuadas para

El descenso en kayak, en ríos como el Noguera Pallaresa, es una de las propuestas de la zona. A la izquierda, las tradicionales bajadas de fallas en Taüll; disfrutando del valle de la Artiga de Lin en BTT y paseando entre las murallas de Montfalcó.

SERGI REBOREDO

diferentes niveles de exigencia física. Los picos más emblemáticos de Cataluña, como la Pica d'Estats, el Sotllo en El Pallars Sobirà, el Montardo en La Val d'Aran, o el Besiberri y el Comaloforno en L'Alta Ribagorça, son opciones interesantes para los amantes del montañismo.

El rafting es la punta de lanza de la oferta de turismo activo acuático en las comarcas del Pirineo, con los ríos Noguera Ribagorzana, Noguera Pallaresa, Garona y Segre como centros de actividad. Para los amantes del agua, también se ofrecen actividades como el piragüismo, hidrotrineo, descenso de barrancos, bus-bob o trekking acuático. En aguas más tranqui-

las, lugares como el embalse de Riulb, el Rafting Parc de La Seu d'Urgell, el Parque de la Roca del Call de Ponts, las dos grandes balsas de Gimenells, el embalse de Terradets, Sant Llorenç de Montgai, Sant Ponç, Sallente, Sant Antoni y la Torrassa ofrecen oportunidades para piragüismo, actividades subacuáticas, kayak, esquí acuático, vela, pádel-surf, windsurf y ultratube.

Las excursiones a caballo y las rutas de BTT, bicicleta de carretera o gravel complementan el catálogo de actividades idóneas para estos meses de calor. Además, la espeleología, las vías ferratas y la escalada encuentran en lugares como Camarasa, Sant Llorenç de

Montgai, Vilanova de Meià, Oliana o el desfiladero de Terradets su punto de encuentro ideal, gracias a sus características orográficas inmejorables.

Finalmente, el parapente es la estrella de las actividades aéreas, con municipios como Àger en La Noguera y Organyà en L'Alt Urgell como destinos estrella de esta modalidad y otras disciplinas relacionadas con el vuelo, como el salto base, los ultraligeros, los vuelos en globo o los vuelos sin motor.

Naturalmente sostenible

El patrimonio natural y paisajístico de la zona es otro pilar fundamental de la oferta turística,

ORIOL CLAVERA

Caminando por el Congost de Mu. A la derecha, haciendo parapente; de ruta en bici por la Noguera; en familia por el Parque Nacional d'Aigüestortes i Estany de Sant Maurici; y haciendo rafting en el Nogera. Una muestra de la gran variedad de actividades en la naturaleza que ofrece el interior de Lleida.

especialmente durante el verano. Consciente de la importancia de la naturaleza, Lleida cuenta con el sello *Biosphere Gold Destination*, que promueve una gestión responsable del turismo y el medio ambiente. Cuidar el entorno y garantizar la sostenibilidad de la actividad turística es uno de los principales objetivos del sector.

El Parque Nacional de Aigüestortes y Estany de Sant Maurici es el buque insignia del patrimonio natural del Pirineo leridano, con casi 41.000 hectáreas de paisajes extraordinarios ubicados en El Pallars Jussà, El Pallars Sobirà, L'Alta Ribagorça y La Val d'Aran. Repleto de senderos y rutas, bosques de pino negro y

abeto, casi 200 lagos naturales y nueve refugios de montaña, es un espacio único para reconectar con la naturaleza.

El Parque Natural del Alt Pirineu, el más extenso de Cataluña con cerca de 80.000 hectáreas, es otra reserva de patrimonio natural tanto a nivel paisajístico como de fauna, albergando especies emblemáticas como el urogallo y el quebrantahuesos. Otros destinos incluyen el Parque Natural del Cadí-Moixeró, con parte de su superficie en L'Alt Urgell, La Cerdanya y Gósol, y lugares como Vall Fosca, Vall de Lord y la Ribera Salada.

La sierra del Montsec ofrece tesoros como el desfiladero de Mont-rebei y el desfiladero de

Mu. En las comarcas del llano, lugares como el Estany d'Ivars y el Aiguabarreig Segre-Cinca también merecen una visita.

Patrimonio por descubrir

El sector turístico de Lleida ha trabajado para convertirse en un referente del turismo familiar, sostenible y de calidad. Con una red de establecimientos y alojamientos de calidad y profesionales experimentados, se pone en valor el patrimonio cultural, histórico, monumental y natural del territorio. Una de las principales novedades de este año es la "Ruta Joan Oró: el origen de la vida", un viaje de más de 500 millones de años

@LYMBUS_LIFE

@JOANSEGUIDOR.6uILLEM RIERA

IOLANDA SEBÉ

SERGI REBOREDO

para conocer cómo se generó la vida en la Tierra, combinando turismo y ciencia con visitas a lugares como el Parque Astronómico del Montsec o el Pirineus Geological Open Museum.

Otras propuestas familiares incluyen "Oleoturismo de Lleida: el sabor de la tierra" y la nueva ruta guiada por pueblos y castillos emblemáticos de Plans de Sió en La Segarra. También destaca el Centro de Interpretación del Oro del Segre, referente turístico de la capital de La Noguera.

El Museo de la Conca Dellà en Isona ha reabierto con una colección centrada en paleontología e historia, y el Museo de las Mariposas de Ribera de Cardós ha alcanzado los 1000 ejemplures. Nuevas incorporaciones como el Museo de Arte Moderno de Lleida y el albergue de peregrinos en Tàrrega complementan la oferta cultural.

Propuestas consolidadas incluyen el conjunto románico de Vall de Boí, el poblado ibérico de los Vilars de Arbeca, los castillos de La Segarra y L'Urgell, y las pinturas rupestres de la Roca dels Moros. Viajar en el Tren dels Llacs ofrece vistas magníficas hasta el Pirineo, y el Parque Astronómico del Montsec, con uno de los mejores cielos de Europa, es reconocido con el sello Starlight de la UNESCO.

Aventuras, naturaleza y patrimonio confluyen en la demarca-ción de Lleida, que ofrece una oferta turística de primer nivel centrada en la calidad y la sostenibilidad, preservando su bien más preciado: el territorio. Si a esto le sumamos un equipo humano de profesionales que regentan una red de equipamientos y alojamientos de trato cercano y afable, obtenemos una combinación ganadora que hace que visitar Lleida sea garantía de éxito. // **Sergi Martí**

Más información:

Diputació de Lleida
Patronat de Turisme

www.aralleida.com

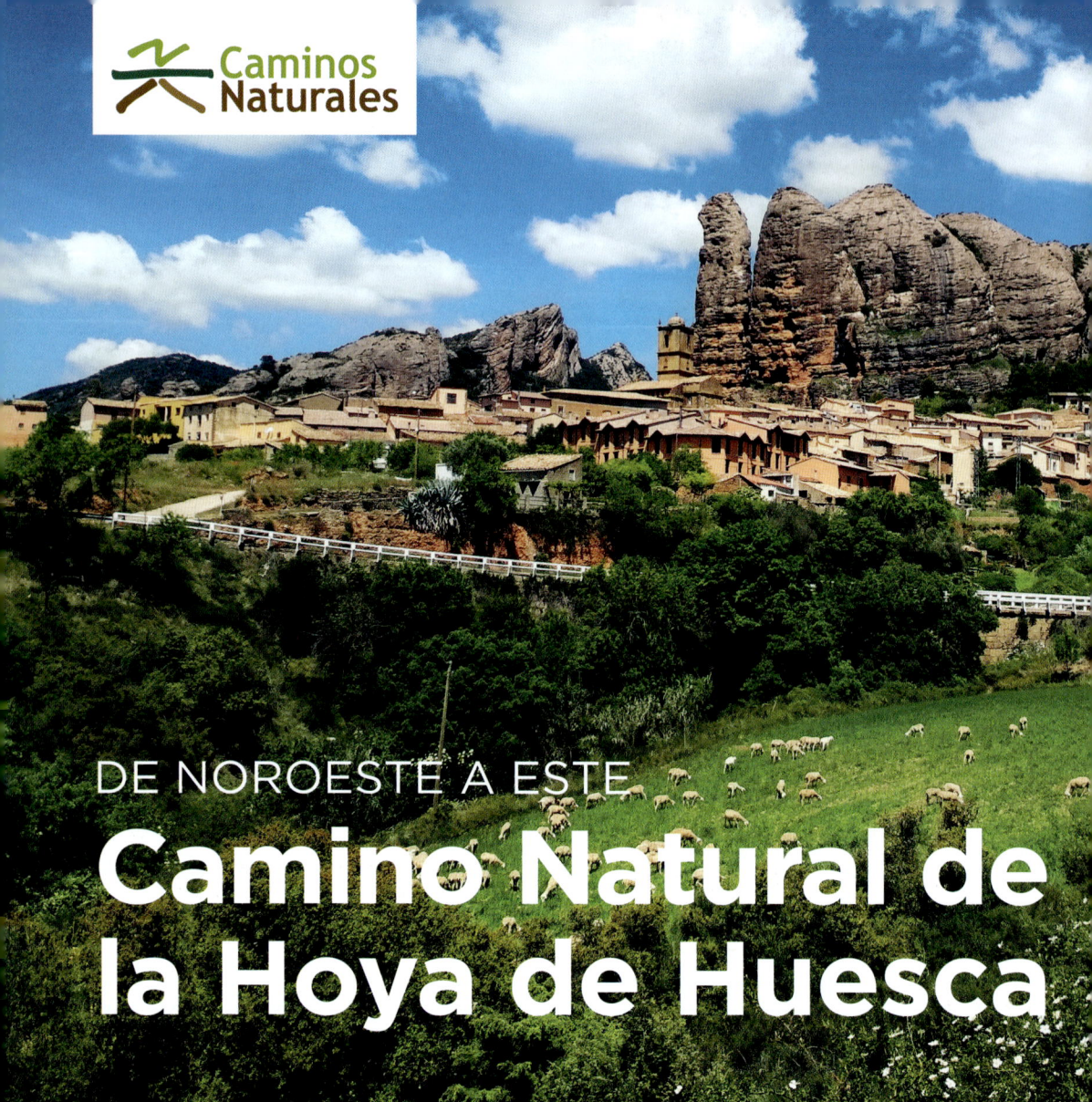

DE NOROESTE A ESTE

Camino Natural de la Hoya de Huesca

Desde Agüero a Bierge, en el Prepirineo, se despliega un Camino Natural con un recorrido total de 133 km, dividido en 8 etapas de distintos niveles, que se pueden unir o realizar por separado. Su atractivo combina imponentes mallos, barrancos de aguas verdes, castillos medievales, arte románico y muchos rincones emblemáticos en los que sentir la magia de esta singular comarca aragonesa.

PERTENECIENTE a la Red de Caminos Naturales de España, el Camino Natural de la Hoya de Huesca atraviesa cuatro lugares de Importancia Comunitaria, parte de su trazado coincide con el sendero histórico GR1 y se puede enlazar con otros senderos GR. También algunas etapas son aptas para realizarlas en bicicleta o a caballo. En el inicio o salida de cada etapa encontraremos un panel informativo, con mapas y puntos de interés, y todo el trayecto está claramente marcado con chapas de color granate, que indican la dirección a seguir.

Aún más importante, a lo largo del recorrido no faltan los lugares en los que pararse a descansar

escasa dificultad técnica. Los imponentes mallos, formaciones de roca conglomerada únicas en el país, serán nuestros ilustres centinelas. Los campos, delimitados por muros de piedra seca (declarados Patrimonio de la Humanidad por la Unesco) y salpicados por chopos, almendros y grandes encinas, configuran el paisaje entre Agüero y Murillo de Gállego. Esta localidad toma su denominación del río Gállego, famoso por su amplia oferta de aventura en sus aguas con ratting, hidrospeed, piraguas... Incluso conserva una histórica "navata" o tradicional balsa hecha de madera. La fisionomía medieval y sus espectaculares vistas, con la Peña Rueba al fondo, dan paso a la gran pasarela sobre el río que lleva a la siguiente localidad, con no menos encanto: Riglos. Sus icónicos mallos - declarados Monumento Natural, junto a los de Agüero y Murillo- adquieren aquí una presencia impactante, pues se alzan más de 300 metros verticales sobre las viviendas, con algún olivo centenario a sus pies.

ETAPA 2
De Riglos a Loarre

En la segunda etapa nos esperan algo más de 15 km y 600 metros de desnivel, que se tardan en recorrer unas 5 horas, aunque no presenta dificultades técnicas. Es un tramo especialmente recomendable para amantes de las aves y de la fotografía, por sus espectaculares vistas, con buitres leonados y alimoches surcando los cielos. El exigente Barranco de los Clérigos nos dará una lección de geología y es obligada una parada en el mirador de los Buitres, uno de los lugares con mejores vistas de toda la región.

Los variados cambios de vegetación, desde bosque de coníferas a encinas, robles, boj... llaman

y a admirar el entorno, desde un amable banco bajo un roble milenario, un merendero con una fuente románica o unas mesas junto a un antiguo convento... El resto es dejarse llevar por los sentidos y abrirse paso a paso a su enorme riqueza cultural y paisajística.

ETAPA 1
De Agüero a Riglos

Un pantocrátor en excelente estado de conservación nos dará la salida desde la portada románica de la iglesia de San Salvador, en Agüero. En esta primera etapa recorreremos algo más de 9 km en unas 3 horas, siendo un inicio con poco desnivel y

En grande, el pueblo de Agüero con sus mallos, punto de partida del Camino Natural de la Hoya de Huesca. Arriba, visión de la pasarela sobre el río Gállego.

la atención en el sendero que conduce a Loarre, una localidad que está muy asociada a su castillo, pero ofrece también muchos otros atractivos. Entre ellos, la iglesia de San Esteban, las casas solariegas y hasta un laboratorio paleontológico, fruto de los recientes hallazgos de huevos de dinosaurio en la zona.

ETAPA 3
De Loarre a Bolea

Esta etapa no requiere una gran forma física, pues no tiene mucho desnivel, y de hecho su recorrido, de unos 11 km, es apto para hacer en bicicleta. A pie se tarda unas 3 horas e iremos surcando campos de cereales, con la vista perdida en el horizonte. Pasaremos junto a dos de los castillos medievales más importantes de Aragón, el de Marcuello (ya en ruinas) y el de Loarre, erigido en un peñasco y rodeado de murallas, que está catalogado como el castillo románico mejor conservado de Europa. Desde todo lo alto, contemplará nuestros pasos la singular ermita de la Virgen de la Peña de Aniés, excavada en un roca, un santuario de origen románico que desafía la gravedad y bajo la cual un merendero y un ma-

nantial invitan a un descanso. Atravesaremos la localidad de Aniés, con su iglesia románica de San Esteban, y tomaremos de nuevo una pista que, entre olivos y almendros, nos lleva a Bolea. Sus plantaciones de cerezos resultan especialmente recomendables para visitar en primavera, en plena floración.

ETAPA 4
De Bolea a Arguis

El paisaje cambia por completo en esta etapa, pasando a un terreno de montaña que exige una

El castillo de Loarre está entre los mejor conservados de la época medieval de toda Europa; y a la izquierda, los imponentes Mallos se yerguen sobre el pueblo de Riglos. Abajo, la localidad de Bolea dominada por su colegiata gótica y el despoblado de Santa María de Belsué.

buena preparación física y técnica para afrontar sus casi 20 km de recorrido y 1000 m de desnivel, en los que se tarda unas 7 horas. El rico patrimonio histórico-artístico de Bolea incluye la colegiata de Santa María la Mayor, del gótico tardío, así como su arquitectura popular y las vistas que ofrece su mirador, desde donde se llega a distinguir el Moncayo. Después de dejar atrás la zona agrícola, las pulsaciones comenzarán a aumentar por el mayor desnivel, según nos vayamos aproximando al collado de montaña, donde

admiraremos los "pozos de hielo" que nos hablan de épocas pasadas.

Con el beneplácito del Monte Gratal, seguiremos subiendo hasta el collado de Sarramiana que, con 1256 m, es el punto más alto de toda la Hoya de Huesca, marcando el paso de la cara sur a la cara norte de la sierra y regalándonos una impresionante panorámica del Pirineo Central.

Una vegetación frondosa y umbría nos arropa en el descenso, en el que atravesaremos el mágico hayedo de Peiró, el más meridional de la Península. Ya solo queda seguir avanzando por paisajes "lunares", entre afloramientos de margas del Eoceno, hasta llegar a la población de Arguis.

ETAPA 5
De Arguis a Nocito

Viviendas de montaña con tejados de pizarra y chimeneas troncocónicas de grandes dimensiones nos esperan en Arguis, donde comienza esta etapa que es tan dura como la anterior, con casi 1000 metros de desnivel y unos 21 km (unas 7 horas de caminata). En el mismo pueblo podemos visitar el centro de interpretación del Parque Natural de la Sierra y

los Cañones de Guara, desde donde parten numerosas excursiones. Una etapa en la que atravesaremos los valles de Isuela y de Belsué, pasando por varias ermitas románicas, magníficos ejemplares de quejico (robles), altivos miradores o las curiosas gradas escalonadas del río Flumen. En lo alto de la colina aguarda el poblado de Belsué, con muchas de sus viviendas de arquitectura tradicional, y a continuación Santa María de Belsué y Lúsera, ambos heridos por la despoblación. En el descenso, junto al curso de agua, puede que nos salude algún martín pescador, algún abejaruco o el mítico tritón pirenaico. Rodeados de cumbres como el Tozal de Guara llegamos a las primeras casas de Nocito. La ermita de San Úrbez, en otro tiempo iglesia románica en el mundo visigodo mozárabe, nos da aquí la bienvenida.

ETAPA 6
De Nocito a Santa Eulalia la Mayor
Iniciamos en el pueblo de Nocito, el principal del valle aunque solo tiene 26 habitantes fijos (que se unen a los 11 de Belsué), con casas típicas de la arquitectura montañesa, muy cuidadas y en un entorno verde y tranquilo que invita al recogimiento. Vamos a atravesar la Sierra de Guara de Norte a Sur, siendo la etapa más exigente de todas, de más de 23 km, con 1600 m de desnivel, que nos llevará unas 9 o 10 horas. Hay que ir por tanto bien surtidos de provisiones y de voluntad, además de buena forma física, para superarlo. El esfuerzo sin duda tendrá recompensas, que nos saldrán al paso en forma de pozas en el barranco de la Pillera o de la variedad de aves que enriquecen este hábitat. Atravesaremos después las gargantas del Guatizalema, con sus pedreras y crestas, plenos de naturaleza, encajando las verdes aguas del río

que se funden con las turquesas del embalse de Vadiello. Y atención, porque puede que en alguna de sus pedreras encontremos un auténtico fósil milenario. Entre los últimos encantos de esta etapa están los mallos de Ligüerre, con sus curiosas formaciones cilíndricas, sobrevolados por alimoches y búhos. Tras algún tramo de carretera, túneles y algún eventual cruce con las cabras cimarronas, llegamos por una senda a las paredes de Ligüerre (con una famosa vía ferrata) y por fin a la localidad de Santa Eulalia la Mayor, en todo lo alto.

ETAPA 7
De Santa Eulalia la Mayor a Casbas de Huesca
Aunque esta etapa es larga, de nada menos que 25 km, es casi toda en llano o bajada y no presenta tramos técnicos. La magnífica torre de la Atalaya, de origen musulmán, en el pueblo de Santa Eulalia la Mayor, nos dará una perspectiva del recorrido a realizar, en el que atravesaremos hasta seis poblaciones, con numerosos ejemplos de la arquitectura tradicional de la zona. Además de ermitas en distintos estados de conservación, toparemos con otras construcciones relevantes como un antiguo

Uno de los miradores del camino desde el que se observa la unión de los ríos Alcanadre y Formiga. A la izquierda, la iglesia de San Miguel de Foces, del gótico tardío, aislada en un paraje singular. Y abajo, los mallos de roca conglomerada que se alzan junto al embalse de Vadiello.

molino de aceite, un castillo-monasterio, una necrópolis con tumbas excavadas en la roca, puentes medievales o la enigmática "piedra mora", todo ello inscrito en el llamado Abadiado de Montearagón, unas tierras en las que brotan los vestigios de las sucesivas culturas que la han habitado. Entre ellos destaca la iglesia de San Miguel de Foces, monumento nacional, aislada en un paraje insólito y que alberga importantes pinturas murales del gótico lineal. Los campos de cultivo, olivos, almendros y naves agrícolas de los alrededores denotan la dedicación de los pobladores actuales de estas localidades en las que se respira campo y tranquilidad. La localidad de Sieso, con calles que incitan a perderse, da paso al final de la etapa, en Casbas de Huesca.

ETAPA 8
De Casbas de Huesca a Bierge

La última etapa es un agradable paseo de unas 3 horas, con poco más de 7 km, que no requiere un esfuerzo excesivo. Pasamos de un paisaje agrícola a uno fluvial en el que confluyen tres importantes ríos: el Alcanadre, el Isuala y el Formiga. Tras admirar el monasterio cisterciense de Nuestra Señora

de Gloria en Casbas, así como los vestigios árabes y la arquitectura de este poblado, tomamos la pista que conduce hacia Bierge, con los campos de trigo y la sierra de Guara como telón de fondo. Pequeñas ermitas y refugios provisionales harán más llevadera la marcha, acompañados siempre del amplio horizonte. Más adelante, los senderos junto a los ríos ofrecen tramos de sombra con peculiares restos en la erosión del paisaje y cambio de vegetación. En especial el río Alcanadre es muy conocido por los barranquistas, que acuden desde distintos países atraídos por sus aguas. Cerrando el círculo, rodeados de muros de piedra seca como empezamos, este Camino Natural de la Hoya de Huesca culmina en el pueblo de Bierge, donde nos espera el Centro de Interpretación del Parque Natural de la Sierra y Cañones de Guara.

Más información de las distintas etapas, con amenos videos reportajes de cada etapa, mapas, tracks del recorrido, puntos de interés, alojamientos... en la web: **https://turismo.hoyadehuesca.es**

hoya de huesca

La belleza natural de las Hoces del Cabriel

EL MAYOR PARQUE NATURAL DE LA COMUNIDA

Hacer un descenso en rafting por las limpias aguas del río Cabriel, recorrer sus pistas en bici, contemplar las aves rapaces desde sus miradores o saborear los vinos de sus bodegas, son algunos de los muchos atractivos que ofrece este privilegiado espacio natural.

LAS aguas del río Cabriel son de un azul turquesa que enamora. Este río, considerado uno de los más limpios de Europa, está situado en un paraje impresionante: las Hoces del Cabriel, el mayor Parque Natural de la Comunitat Valenciana (establecido como espacio protegido en 1995), con más de 31 000 hectáreas. Este pequeño paraíso, localizado en la comarca de Utiel Requena, linda con las provincias de Cuenca y Albacete, con el río como frontera natural. El barranco junto a su cauce, cuyas paredes pronunciadas que llegan a al-

FOTOS: TURISME COMUNITAT VALENCIANA

Su variado paisaje abarca desde las aguas bravas a los remansos tranquilos del río Cabriel, rodeado de paredes y afilados cuchillares de caliza.

ALENCIANA

canzar los 100 metros de altura, formadas por materiales calizos y dolomíticos, nos regala unas vistas privilegiadas.

El Parque Natural deja ver sus encantos a todo aquel que lo visita ya que cuenta con distintas rutas y senderos, perfectamente señalizados, con distintos niveles de dificultad. Seguir el sendero de los cuchillos del Cabriel, acceder al Barranco Moluengo y Peñas Blancas o emprender la ruta hacia los numerosos miradores que se encuentran dentro del Parque Natural son experiencias que sin duda permanecerán en nuestra memoria.

Existen además diversas empresas que ofrecen la oportunidad de vivir una jornada de aventura realizando un descenso en canoa por el río Cabriel o haciendo rafting por sus aguas, subiéndonos a una bicicleta, practicando el trekking o atreviéndonos con un circuito multiaventura.

Los amantes del vino también están de enhorabuena ya que, a la experiencia de la naturaleza, se puede sumar la visita a los municipios de Requena, Venta del Moro y Villagordo del Cabriel donde es posible conocer las numero-

EL MAYOR PARQUE NATURAL DE LA COMUNIDA

sas bodegas de la zona y realizar catas de vino. Las bodegas Neleman por ejemplo, que elaboran vinos ecológicos, de viticultura sostenible en el mismo corazón del Parque Natural proponen una interesante actividad de enoturismo. Pero es solo una de las experiencias que se ofertan. Hay muchas más, todas ellas reunidas en la web www.experienciascv.es

La región circundante al parque incluye pueblos con rica tradición cultural, como Venta del Moro, Villargordo del Cabriel y Cofrentes. Estas localidades mantienen viva una herencia ligada al entorno natural, destacándose en celebraciones como la Fiesta de la Vendimia y la Feria de San Miguel. Su arquitectura, marcada por construcciones de piedra y tejados rojizos, refleja una adaptación armoniosa al paisaje.

Las Hoces del Cabriel es un refugio de biodiversidad donde destaca el compromiso con la conservación del agua, realizando acciones como el monitoreo continuo de la calidad del agua o la recuperación de la vegetación autóctona que actúa como filtro natural, así como el impulso de talleres y actividades de

FOTOS: TURISME COMUNITAT VALENCIANA

El Parque Natural de las Hoces del Cabriel está recorrido por multitud de senderos bien señalizados, y dispone de una amplia oferta de actividades multiaventura.

ALENCIANA

educación ambiental. La preservación del entorno natural es uno de los principales objetivos del parque, protegiendo especies emblemáticas como el águila perdicera, el halcón peregrino, el búho real, la cabra montés o el galápago europeo. Las riberas del río y sus escarpadas hoces proporcionan un hábitat idóneo para las rapaces, así como para garzas, cormoranes y diversas especies de pequeños pájaros migratorios, convirtiéndolo en un paraíso para la observación de aves prácticamente durante todo el año.

Disfrutar de la naturaleza y cuidarla van de la mano en este paraje que sin duda nos hará volver.

Más info en:

COMUNITAT VALENCIANA

www.comunitatvalenciana.com

Una asociación que hace crecer un territorio

La iniciativa «Vine al Pallars, Viu el Jussà», impulsada por la asociación de profesionales del ámbito turístico (APAT) de Pallars Jussà, busca promocionar la riqueza y diversidad de esta comarca ilerdense, especialmente valiosa para amantes de la naturaleza y las actividades al aire libre.

«Vine al Pallars, Viu el Jussà» (Ven a Pallars, Vive el Jussà) nace en 2013 fruto de las inquietudes de la Associació de Residències de Cases de Pagès del Pallars Jussà para dar un valor añadido a los alojamientos rurales de la Comarca con actividades de senderismo. En el año 2014 se inicia la colaboración entre la Associació de Professionals de l'àmbit turístics del Pallars Jussà (APAT) y la Associació de Residències de Cases de Pagès del Pallars Jussà. Con esta unión se consigue que nuestro proyecto sea una plataforma representativa de la mayoría de empresarios de la comarca de los diferentes sectores turísticos, haciéndolo crecer en toda su diversidad paisajística, cultural, recreativa, gastronómica, deportiva, productiva, histórica y científica.

«Vine al Pallars, Viu el Jussà» es una iniciativa que reúne a un amplio abanico de empresas turísticas de la comarca del Pallars Jussà, con el objetivo de promocionar la riqueza y diversidad de la comarca. A través de una completa guía y un programa repleto de actividades, te invitamos a descubrir un sinfín de posibilidades para disfrutar de tu tiempo libre en familia, pareja, con amigos o solos.

Descubre un destino único donde la naturaleza, la cultura y la tradición se unen para ofrecer una experiencia inolvidable: el Pallars Jussà. Te invitamos a sumergirte en un territorio lleno de contrastes, desde las imponentes cimas del Pirineo hasta los encantadores pueblos medievales, pasando por frondosos bosques y valles de ensueño.

Esta propuesta invita a los visitantes del Pallars Jussà a sumergirse en un entorno único, donde la naturaleza exuberante, los pueblos pintorescos y la rica historia se unen para ofrecer una experiencia inolvidable.

Un paraíso para los amantes de la naturaleza: El Pallars Jussà es un destino ideal para los amantes de la naturaleza. Paisajes montañosos, bosques frondosos, ríos cristalinos y valles encantadores conforman una postal perfecta para disfrutar de actividades al aire libre como senderismo, ciclismo, barranquismo, kayak y mucho más.

Un viaje a través del tiempo: Adéntrate en la historia del Pallars Jussà recorriendo sus encantadores pueblos medievales. Descubre monasterios románicos, castillos imponentes y ermitas escondidas entre montañas.

Sabores auténticos: Degusta la exquisita gastronomía local, elaborada con productos frescos y de temporada. Disfruta de platos típicos como la escudella i carn d'olla, el trinxat o la coca de recapte, y acompaña tu comida con vinos de la región, reconocidos por su calidad y sabor.

FOTOS: TURISMO LLEIDA

Un sinfín de actividades para todos: «Vine al Pallars, Viu el Jussà» ofrece una amplia variedad de actividades para todos los gustos y edades. Desde visitas a museos y centros de interpretación hasta talleres de artesanía y rutas gastronómicas, la comarca ofrece una experiencia completa para toda la familia.

Un destino sostenible: El Pallars Jussà está comprometido con la conservación del medio ambiente y el desarrollo sostenible. Encontrarás alojamientos, restaurantes y empresas de turismo que aplican prácticas responsables con el entorno.

Más que un destino, una experiencia: «Vine al Pallars, Viu el Jussà» te ofrece la oportunidad de conectar con la naturaleza en estado puro, descubrir la cultura y tradiciones locales, disfrutar de una gastronomía deliciosa y vivir experiencias únicas.

Ven al Pallars Jussà y vive una experiencia única en un entorno natural incomparable. Déjate sorprender por la calidez de su gente, la riqueza de sus tradiciones y la magia de sus paisajes.

VINE AL PALLARS

viu el jussà

www.viujussa.cat

Diputació de Lleida
Patronat de Turisme

El símbolo del Camino Lebaniego, una cruz latina de color granate, con el símbolo del Camino Jacobeo, una concha de vieira de color amarillo, con sus respectivas flechas, en un mojón compartido por ambas rutas.

CULTURA, DEPORTE Y NATURALEZA
EL CAMINO LEBANIEGO

Desde San Vicente de la Barquera, en la costa cántabra, al monasterio de Santo Toribio de Liébana, rodeado de montañas, esta ruta de 72 kilómetros ofrece una variedad única de paisajes y experiencias. El reciente Año Santo Lebaniego, celebrado en 2023-24, ha revitalizado este camino tradicional de peregrinaje que se lleva recorriendo desde la Edad Media para venerar el *Lignum Crucis* en uno de los principales lugares santos del cristianismo.

ASUMIR el reto de realizar el Camino Lebaniego va mucho más allá del esfuerzo físico que pueda suponer recorrer sus "escasos" 72 km de trazado. Implica estar preparado para sumergirse en la historia que va saliendo a nuestro encuentro en forma de cenobios o monasterios, iglesias, puentes... que nos habla de civilizaciones pasadas y de los miles, millones de peregrinos que han transitado por esas mismas sendas desde hace siglos. Hay quien acude a este camino en busca de religión y de espiritualidad, quien lo hace atraído por su belleza natural, motivado por el desafío deportivo o quizá en busca de una alternativa menos masificada al vecino Camino de Santiago, con el que comparte los primeros 12 kilómetros. Todas estas aspiraciones se ven cumplidas en el Camino Lebaniego, que ofrece al peregrino las riquezas únicas de la región de Liébana de la que

toma el nombre, con un maridaje perfecto de cultura, historia, religión, naturaleza y deporte.

El motivo u origen de esta ruta que llevan recorriendo los peregrinos desde la Edad Media lo encontramos en un pequeño trozo de madera, de apenas 63 cm de largo y 39 cm de ancho, que adquiere su verdadera dimensión al revelar que es el trozo de madera de la cruz de Jesucristo más grande que se conserva en el mundo. Se trata del llamado *Lignum Crucis*, vocablos del latín cuya traducción literal es "Madera de la Cruz" (*lignum* = madera y *Crucis* es el genitivo de *Crux* = cruz). Pero, ¿cómo llegó un pedazo de la cruz de Cristo a un recóndito valle cántabro?

Hace mil setecientos años...

Cuenta la historia que fue Elena, la madre del emperador romano Constantino, quien en un viaje a Jerusalén en el año 326 d.C. descubrió la *Vera*

El monasterio de Santo Toribio, levantado sobre edificaciones primitivas, vivió sucesivas construcciones, expandiéndose en los s. X y XI siguiendo el estilo gótico monástico. A la izquierda su claustro, de estilo herreriano, edificado en el s.XVII. Debajo, relieves de la iglesia románica de Santa María de Piasca (la virgen María flanqueada por San Pedro y San Pablo); y más abajo, estatua de Santo Toribio en Potes.

Cruz o "Verdadera Cruz" en latín. También llamada Helena de Constantinopla, se sabe que era una mujer de origen humilde, que fue repudiada por su marido Constancio Cloro cuando este se convirtió en emperador. Sin embargo, su influencia fue decisiva en su hijo Constantino quien, cuando heredó el imperio romano, la llevó a vivir con él a la corte y fue ella quien le inculcó la religión cristiana que practicaba. Recordamos que Contantino I o Constantino el Grande fue una figura clave que puso fin a las persecuciones contra los cristianos que se habían llevado a cabo hasta entonces, promulgado en el Edicto de Milán. Su apoyo y legalización del cristianismo permitió que esta religión se convirtiera en una fuerza dominante en Europa y sentó las bases para la Iglesia Católica tal como la conocemos hoy.

La leyenda (recogida en distintos escritos, como en la *Historia ecclesiastica* del s. V), cuenta

Con 63 cm el palo vertical, 39 cm el travesaño y un grosor de 3'8 cm, el «leño santo» es la reliquia más grande conservada de la Cruz de Cristo en el mundo. Abajo, escultura de Santo Toribio en el monasterio.

DARÍO RODRÍGUEZ

también que durante las excavaciones en el monte Calvario de Jerusalén, se encontraron tres cruces. Para identificar la verdadera cruz de Cristo, se llevó a cabo una prueba milagrosa: una mujer enferma fue llevada a tocar cada una de las cruces, y al tocar la tercera cruz, fue sanada. Su hallazgo, unido a su enorme devoción y su contribución a la fe cristiana, hizo que a Elena se le declarase santa tras su fallecimiento.

Según cuenta la tradición, los restos encontrados de la Verdadera Cruz fueron objeto de veneración desde su descubrimiento, diseminándose por el mundo. En concreto el *Lignum Crucis* se dice que corresponde al bazo izquierdo de la cruz y durante muchos años permaneció en Roma. Allí estuvo a cargo de Santo Toribio de Liébana, obispo de Astorga quien, en su lucha contra las herejías de la época (siglo V) viajó a Jerusalén, donde el papa León I el Magno atendió a su petición de apoyo. En su viaje de vuelta a España, Santo Toribio se trajo varias reliquias importantes, incluyendo la que nos atañe, el gran fragmento *Lignum Crucis*. Muchos años después de su fallecimiento, con

el propósito de huir del avance árabe en la Península Ibérica (S.VIII), un obispo de Palencia (casualmente llamado también Toribio) se refugia en Liébana trayendo consigo los restos del cuerpo de Santo Toribio, que guarda en el por entonces llamado monasterio de San Martín de Turieno, que con el tiempo se convertiría en Santo Toribio de Liébana.

Evidentemente, no es el único trozo de la cruz de Cristo que existe en el mundo. De hecho, se han encontrado tantos –con mayor o menor veracidad– que ya en el siglo XVI, el teólogo francés Juan Calvino reflexionaba: «Si quisiéramos recoger todo lo que se ha encontrado, habría suficiente para cargar un gran barco». Solo en España existen otros fragmentos como en Caravaca de la Cruz (Murcia) o en el Monasterio de Santa María de Vilabertrán (Girona) y, en el mundo, entre los más famosos se encuentran en la Catedral de Notre-Dame (París, Francia), en el Monasterio de Xeropotamou en el Monte Athos (Grecia) o en la Basílica de la Santa Cruz en Jerusalén (Roma, Italia). De todos ellos, el de Santo Toribio tiene el honor de ser el más grande. Su supuesta autenticidad histórica está respaldada por unos análisis científicos realizados en 1958 que confirmaron que la madera del *Lignum Crucis* pertenece a la especie *Cupressus sempervirens*, un ciprés autóctono de Palestina. Actualmente está incrustada en un relicario de plata dorada de estilo gótico, creado en un taller vallisoletano en 1679.

Año Santo Lebaniego

En 1512, el Papa Julio II concedió el privilegio del Año Santo o Año Jubilar Lebaniego, que se celebra cada vez que el 16 de abril, festividad de Santo Toribio, coincide con domingo. Esto sucede aproximadamente cada 6, 5, 6 y 11 años, en un ciclo repetitivo. Los pasados recayeron

FOTOS: DARÍO RODRÍGUEZ

Desde el mar Cantábrico, en San Vicente de la Barquera, el Camino Lebaniego va transformando su paisaje, adentrándose en la montaña. Izquierda, un peregrino en la puerta del Perdón del Monasterio de Santo Toribio; y debajo, lámina ilustrada de un «Beato de Liébana» que se exponen en este cenobio.

en 2017 y 2023 (correspondiendo el último al 74º Año Jubilar Lebaniego), y los siguientes serán en 2028 y 2034. Esta concesión convirtió el monasterio de Santo Toribio en uno de los cinco lugares santos del cristianismo con privilegio de celebrar Año Santo, junto a Jerusalén, Roma, Caravaca de la Cruz y Santiago de Compostela (el año Jacobeo o Año Santo Compostelano se celebra cuando el 25 de julio, festividad de Santiago Apóstol, cae en domingo).

Cada Año Santo o Año Jubilar Lebaniego se abre simbólicamente la «Puerta del Perdón» del monasterio de Santo Toribio. El rito de apertura es un evento solemne que simboliza la entrada a un tiempo de perdón y renovación espiritual. Cruzar esta puerta tiene un profundo significado para los cristianos, pues representa la entrada a un espacio de gracia especial donde se concede el perdón de los pecados.

Beato de Liébana y sus códices

Una figura clave en el origen del peregrinaje no solo a Santo Toribio, también a Santiago de Compostela, es la del Beato de Liébana, un abad que vivió en el monasterio durante el siglo VIII. Hombre erudito, se le atribuye la escritura del *Comentaro al Apocalipsis*, en el año 776, en el que explicaba este difícil libro de San Juan recogido en el Nuevo Testamento. De este manuscrito o códice se realizaron diversas copias en otros monasterios, en los que empezaron a

En los últimos kilómetros hasta Santo Toribio, el camino va avanzando por senderos de montaña del valle de Liébana. A la derecha, niebla matutina sobre la localidad de Pendes, con la característica silueta de la Peña Ventosa al fondo.

incluirse dibujos de miniaturas de temática religiosa, cuya técnica fue muy influyente en la evolución de la pintura y escultura mozárabe y románica. Con el tiempo los diferentes códices tomaron el nombre del autor del *Comentario*, siendo actualmente conocidos de forma genérica como «Beatos de Liébana». Se desconoce el paradero del códice original, si bien actualmente el monasterio guarda una exposición de láminas ilustradas de los Beatos más representativos.

La huella de este cultivado abad del monasterio de Santo Toribio es más profunda, pues también compuso el *O Dei Verbum*, himno de la liturgia mozárabe, con la clara intención de establecer al apóstol Santiago como patrón de Hispania. Por este motivo, se considera al abad lebaniego promotor del culto a Santiago en el naciente reino de Asturias. Pocos años después de este himno, reinando Alfonso II en Asturias, el obispo Teodomiro de Iria Flavia ordenó excavar un sepulcro abandonado en el «Campo de la Estrella» que contenía los restos atribuidos al apóstol Santiago.

En otras palabras, podemos decir que el monasterio de Santo Toribio está en el origen de las peregrinaciones jacobeas. De ahí que, durante la Edad Media, el cenobio lebaniego fuese una parada casi obligatoria para los peregrinos que se dirigían a Santiago de Compostela por el Camino de la Costa y que, después de su adoración al *Lignum Crucis*, retomaban dicho camino

o bien enlazaban con el Camino Francés por el interior. Estos peregrinos que acudían a venerar la cruz son hoy conocidos como «crucenos» o «peregrinos de la cruz».

El camino de las flechas rojas

Al igual que ocurrió con las rutas jacobeas, el Camino Lebaniego experimentó un gran esplendor durante la Edad Media, seguido por un largo periodo de olvido y decadencia después. La creciente popularidad del Camino de Santiago, especialmente a finales del siglo pasado y en lo que llevamos de este siglo, ha revitalizado la vía de peregrinación Lebaniega, que reúne toda la variedad paisajística que ofrece Cantabria.

La cruz de Liébana y una flecha, ambas de color granate, son las marcas con las que está identificado todo el recorrido, desde que el Go-

bierno de Cantabria llevara a cabo la señalización durante los años 2016 y 2017. En los primeros 12 kilómetros, el Camino Lebaniego comparte ruta con el Camino de Santiago, marcado este con una concha de vieira y una flecha de color amarillo.

Al igual que en el Camino de Santiago, también en el Camino L, reebaniego existe una acreditación, llamada la «Lebaniega», que se otorga a los peregrinos que completan el recorrido hasta el monasterio de Santo Toribio. Para conseguirla hay que hacerse con una credencial que se obtiene en la parroquia El Cristo, en Santander, así como en la oficina del peregrino en Potes, y en las de turismo de San Vicente de la Barquera, Torrelavega y otras localidades. Este documento lo van sellando en los albergues, así como en los puntos de información turística, en parroquias, alojamientos y otros establecimientos

CAMINO LEBANIEGO

De San Vicente de la Barquera a Santo Toribio de Liébana

En las fotografías de la derecha:

1. San Vicente de la Barquera.
2. Torre de Estrada.
3. Senda fluvial.
4. Cades.
5. Torre de Cabanzón.
6. Iglesia de Santa Juliana.
7. Collado de la Hoz.
8. Collado Arcedón.
9. Santa María de Lebeña.
10. Castañar de Pendes.
11. Centro del Parque Nacional de los Picos de Europa.
12. Potes.

LEYENDA

———	Camino Lebaniego oficial
———	Variantes sin asfalto
·······	Camino cicloturista
🏠	Albergue de peregrinos

a lo largo del recorrido y con ella se consigue la Lebaniega, que se entrega en el destino final, el monasterio de Santo Toribio de Liébana.

De la costa a la montaña

Añadido a su importancia histórica y religiosa, el Camino Lebaniego ofrece al peregrino una inmersión profunda en la naturaleza y biodiversidad de Cantabria, que cambia notablemente desde las primeras regiones costeras hasta su entrada en el montañoso valle de Liébana. Partiendo de San Vicente de la Barquera, atraviesa una zona caracterizada por un paisaje litoral con playas, dunas y marismas, donde la flora incluye especies como el tamarisco y el junco, y la fauna marina es abundante, con aves como gaviotas y charranes.

A medida que el camino se adentra en el valle del Nansa, la geología se transforma en un entorno más montañoso y rural, con colinas cubiertas de bosques mixtos de robles y castaños. La fauna aquí incluye corzos, jabalíes y nutrias que habitan cerca de los ríos, como el Nansa y sus afluentes. Continuando hacia el valle de Cabezón y la región de Lamasón, el paisaje se vuelve más accidentado, con montes bajos y praderas. Los bosques de robles se mezclan con hayas y abedules, y la fauna se diversifica con la presencia de pequeños mamíferos como ardillas y aves rapaces como el milano real.

Según nos aproximamos al desfiladero de La Hermida, la entrada al valle de Liébana, el entorno se torna más abrupto y espectacular, con formaciones rocosas calizas y gargantas profundas. El escenario incluye encinares y madroños en las zonas más soleadas y bosques de hayas en las áreas más húmedas, en los que se resguardan especies emblemáticas como el oso pardo y el rebeco. Mientras, en los cielos, sobrevuelan águilas y buitres, con los impresionantes Picos de Europa como telón de fondo.

Dos peregrinos en el Camino Lebaniego, envueltos por la niebla que en muchas ocasiones acompaña en esta histórica senda.

CAMINO ✝ LEBANIEGO

EN 5, 4, 3, 2 DÍAS...
¡A TU RITMO!

Te proponemos en estas páginas adaptar el histórico Camino Lebaniego
en función de tu disponibilidad, preferencias y estado de forma.
Una recorrido de 72 kilómetros que comienza junto al Cantábrico y se
adentra en la Cordillera Cantábrica, que puedes recorrer en varias
jornadas (de dos a cinco días), sin perderte sus principales encantos.

Texto: redacción GE. fotos: Darío Rodríguez.

L OS 72 km del Camino Lebaniego oficial pueden no parecer mucho, dando a entender que para un caminante preparado le bastarían dos días para recorrerlo. Sin embargo, es más prudente planteárselo en tres o más jornadas, ya que las subidas y bajadas son importantes, con fuertes desniveles. Un avance pausado nos permitirá además disfrutar con calma de los muchos atractivos que aguardan a nuestro paso, propiciando encuentros enriquecedores. Cada etapa presenta sus retos: el primer tramo costero es más sencillo, mientras que el desfiladero de La Hermida es más exigente, con desafiantes desniveles. El tramo final hacia Santo Toribio también puede ser agotador, especialmente en jornadas más largas.

El recorrido en muchos momentos está alejado de la "civilización", lo que es una ventaja si buscas tranquilidad y aventura, pero a la vez hace que

disponga de pocos alojamientos y bares, restaurantes o tiendas en los que pararse a comer y reponer fuerzas. Esta condición hace que tengamos que realizar la planificación de las etapas en función principalmente de la disponibilidad de los alojamientos y no tanto de nuestras preferencias.

Actualmente jalonados en el camino encontramos aproximadamente una decena de albergues (públicos y privados). Aunque la mayoría está abierto todo el año, en muchos es necesario localizar primero a los hospitaleros y darles tiempo de ir a abrir. No suelen tener muchas plazas, por lo que es importante reservar.

También en algunos pueblos que cruza el camino o en los alrededores existen varias pensiones, hoteles y casas rurales. El problema es que, en temporada alta (verano), muchos solo admiten estancias mínimas de varias noches, que no satisface por tanto la necesidad del peregrino de

JUANJO SIERRA ALCALÁ

Santo Toribio de Liébana

El monasterio se levanta sobre primitivas construcciones prerrománicas. La primera referencia histórica que se tiene data de 1125, si bien por entonces era conocido como monasterio de San Martín de Turieno. Su fundación se atribuye a un obispo de Palencia casualmente también llamado Toribio, quien en el s. VI se retiró al cenobio junto a otros monjes para vivir entregados a la oración. Ya en el siglo IX los cristianos de Astorga, con el fin de proteger la reliquias del *Lignum Crucis* del avance árabe en la Península, las traen a este pequeño monasterio, que será conocido como Santo Toribio de Liébana.

Durante siglos estuvo habitado por monjes benedictinos pero, tras la desamortización de Mendizábal (1934), la comunidad desaparece. Vivió años de decadencia hasta que en 1961 lo restaura y vuelve a habitarlo una fraternidad de frailes franciscanos, quienes siguen a su cargo.

Las principales extensiones del edificio se construyeron en los siglos X y XI, y la iglesia actual data del año 1256. Se enmarca en el gótico monástico, con la claridad de líneas y de espacios y la sobriedad decorativa que caracteriza a la arquitectura de la Orden de San Bernardo..

una única pernocta. Igualmente a la hora de escoger los lugares de abastecimiento hay que tener en cuenta que no todos los pueblos cuentan con supermercado, tiendas o bares en los que reponer energías, siendo este otro factor importante a la hora de planificar.

¿En cinco, cuatro, tres o dos días?

Es la pregunta más habitual a la hora de plantearse el camino, que no tiene una respuesta única.

Si dispones del tiempo suficiente, lo más recomendable es hacerlo en cinco jornadas, de esta forma podrás sumergirte en la experiencia y disfrutarla con más calma, compartiendo con las gentes que lo habitan o con otros peregrinos que encuentres en el camino, realizando excursiones por los alrededores o simplemente dedicando más tiempo a la contemplación del paisaje exterior e interior. Si bien hay que advertir

que esta opción no siempre es posible, puesto que los alojamientos en ocasiones son escasos, como detallaremos a continuación.

También puedes hacerlo en cuatro etapas o en tres, que es la duración más habitual escogida por muchos peregrinos; en este caso has de saber que las dos primeras etapas serán duras y largas, especialmente la segunda, con un desnivel importante. Incluso hay quien lo hace en solo dos días corriendo o montando en bici. En definitiva es un camino que, gracias a las alternativas y variantes que presenta, se puede adaptar a cada persona, a su condición física y preferencias, teniendo en cuenta la necesidad de una buena planificación. Todas las opciones son válidas, siempre que vivas la experiencia con autenticidad, disfrutando de cada paso. A continuación te ofrecemos todos los detalles para recorrerlo en cinco jornadas.

DÍA 1
San Vicente de la Barquera → Muñorrodero

LONGITUD: 13,8 km. **DESNIVEL:** +217 m.
TRACK: desni.in/d8xrw

SAN VICENTE DE LA BARQUERA → LA ACEBOSA. 2,6 km

Además de ser el punto de partida del Camino Lebaniego, San Vicente de la Barquera es una etapa importante en el Camino del Norte, una de las rutas jacobeas que conducen a Santiago de Compostela.

Aunque la ruta señalizada evita el centro histórico, vale la pena desviarse unos cientos de metros para visitar la iglesia de Santa María de los Ángeles, en lo alto de la Puebla Vieja, un buen ejemplo de arqutectura gótica, a la que se accede a través de dos puertas de la antigua muralla medieval. Y también recomendable es el Castillo del Rey, una construcción medieval que ofrece buenas vistas panorámicas de la localidad y la costa.

Partimos de la casa consistorial y bajamos, frente a su fachada principal, por la calle empedrada que pasa por la puerta de la muralla. En la zona moderna seguiremos de frente hasta alcanzar una calle que sube a la derecha para alcanzar la calle Calzadas Altas. Por esta calle dejaremos atrás San Vicente para continuar por la carretera local que conduce a la localidad de La Acebosa.

LA ACEBOSA → SERDIO. 5,3 km

Desde el pueblo de La Acebosa, en cruce con la carretera CA-843, iremos a la izquierda tras superar la iglesia. Tomaremos el próximo desvío a la derecha dejando el último grupo de casas del pueblo antes de subir por un viejo camino al cementerio y continuar hasta dar con el camino del Perujo, una pista asfaltada entre fincas que hay que tomar hacia el oeste hasta desembocar en la carretera S-221 por la que llegare-

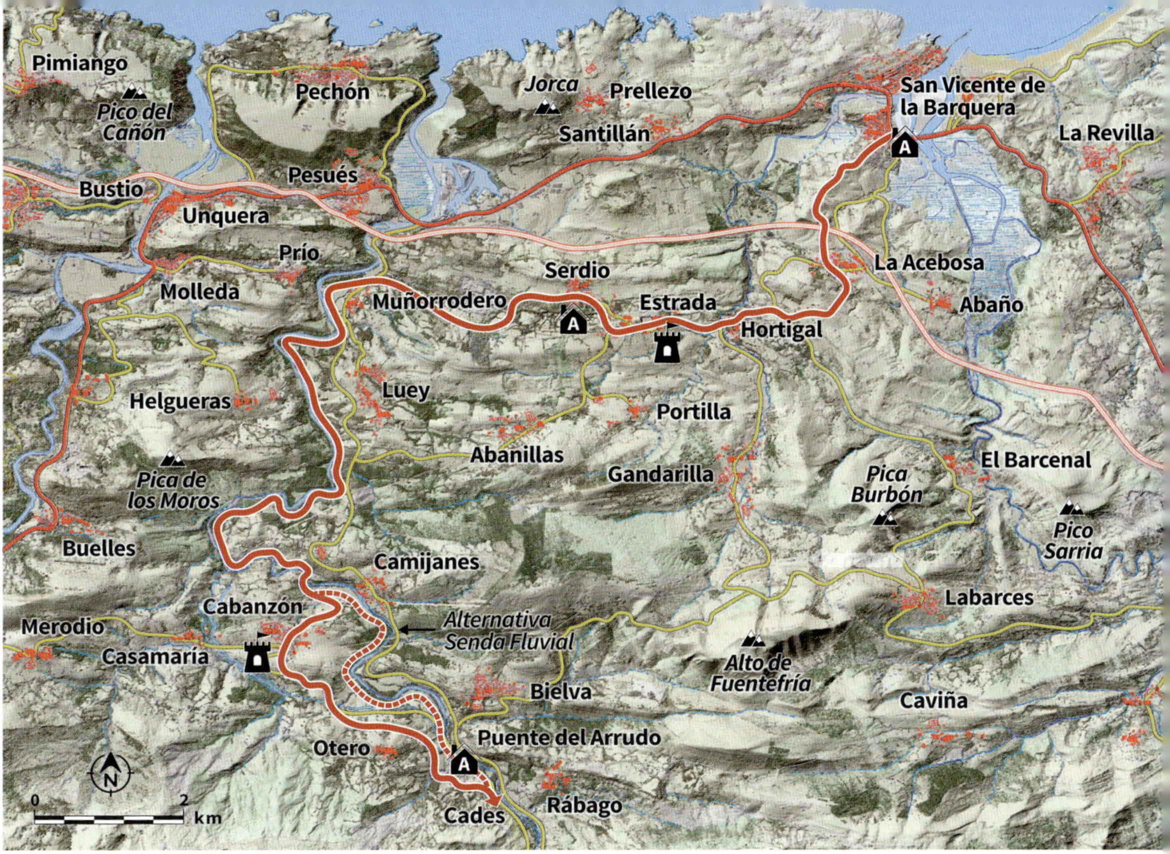
Pimiango
Pico del Cañón
Pechón
Jorca
Prellezo
Santillán
San Vicente de la Barquera
La Revilla
Bustio
Pesués
Unquera
Prío
Molleda
Serdio
La Acebosa
Muñorrodero
Estrada
Abaño
Hortigal
Luey
Helgueras
Portilla
Abanillas
El Barcenal
Gandarilla
Pica Burbón
Pica de los Moros
Pico Sarria
Buelles
Camijanes
Labarces
Cabanzón
Merodio
Alternativa Senda Fluvial
Casamaría
Alto de Fuentefría
Bielva
Caviña
Puente del Arrudo
Otero
N
0
2
km
Rábago
Cades

mos a Hortigal, una pequeña aldea con una docena de casas y sin ningún servicio que queda a la izquierda. La misma carretera nos llevará hasta Estrada primero, y luego hasta Serdio. A la salida se levanta la fortaleza de los Estrada, una construcción del siglo XIII, probablemente sobre una estructura defensiva anterior, que cumplía una importante función estratégica debido a su ubicación en la costa cantábrica, protegiendo el puerto y la población.

Camino del Norte
Camino Lebaniego

DARÍO RODRÍGUEZ

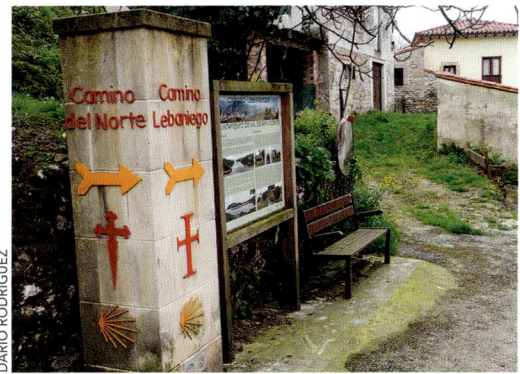

Indicaciones en la primera etapa del camino, con señales coincidentes del Camino del Norte y del Lebaniego, que parte de San Vicente de la Barquera (arriba, panorámica de esta localidad costera).

SERDIO → MUÑORRODERO. 3,3 km

En Serdio los caminantes se despiden de la vista del mar. El pueblo es cuna del conocido maqui cántabro Francisco Bedoya, que tras la guerra civil española se «echó al monte» junto a otros guerrilleros, siendo perseguido por la Guardia Civil durante la década de los 40 y 50.

El Camino Lebaniego y el Camino del Norte continúan hermanados por una tranquila pista unos 700 metros y luego se separan. El camino jacobeo continúa por la pista más ancha mientras que el Lebaniego toma un camino más estrecho a la izquierda. A partir de ahora nos guiaremos por las señales propias del Lebaniego, la cruz y la flecha granate. Por este tranquilo camino el cruceno llega a Muñorrodero, situado junto a la ría de Tina Menor.

El puente de la Maza, en San Vicente de la Barquera

San Vicente de la Barquera era, junto con Castro Urdiales, Laredo y Santander, una de las Cuatro Villas de la Costa, a la que el rey Alfonso VIII de Castilla otorgó en el año 1210 un fuero propio que supuso importantes privilegios comerciales y pesqueros. Su origen se remonta a la época romana, cuando la región era conocida como *Portus Vereasueca*, aunque su desarrollo como villa comen-zó en la Edad Media. Su nombre proviene de San Vicente Mártir, a quien está dedicada la iglesia principal de la localidad, y el término «barquera» hace referencia al servicio de «ferry» que cruzaba la ría antes de que se construyera el Puente de la Maza del siglo XV, con sus 28 arcos apuntados, típicos de la arquitectura gótica, que en su origen fueron 32 (algunos se perdieron o fueron modifi-

En Muñorrodero se encuentra la cueva de la Fuente del Salín, que conserva pinturas rupestres de más de 20 000 años de antigüedad. La cueva fue descubierta en 1985 por miembros de la Sociedad de Actividades Espeleológicas de Cantabria. La cavidad es una surgencia activa de gran desarrollo y trazado laberíntico, cuyo acceso actual es únicamente posible en épocas de sequía, al desembocar en su entrada un río subterráneo. La entrada primitiva está taponada por un derrumbe y su visita restringida únicamente a especialistas.

Podemos optar por pasar la noche en Serdio o bien seguir caminando los 3,3 kilómetros que lo separan de la siguiente localidad, Muñorrodero, en función del alojamiento que hayamos previsto.

Servicios en Serdio: Dispone de fuente, bar y un albergue ubicado en el edificio de las antiguas escuelas, el cual en la actualidad (verano 2024) se encuentra cerrado temporalmente. Tiene varios alojamientos: Apartamentos Rurales Kety, Hostería El Corralucu, Posada Fuente De Las Anjanas, Posada La Torre De Serdio.

CARLOS CASTILLA JIMÉNEZ / ADOBESTOCK

cados con el tiempo). Cruza la ría de San Vicente o ría de La Rabia, una entrada de agua salada que forma un estuario, creando un entorno natural rico en biodiversidad y paisajes espectaculares. El puente es uno de los símbolos de la localidad, vinculado a leyendas sobre la buena suerte en los viajes de los peregrino. Se lo conoce también como el Puente de los Deseos porque, según dice la tradición, si se cruza conteniendo la respiración a la vez que se pide un deseo, se cumple.

Servicios en Muñorrodero: Encontramos un restaurante, es el único de la localidad (y hasta Cades no encontraremos ningún otro lugar donde comer o comprar comida o bebida). Se llama Muñorrodero Bar y desde el 1 de marzo al 15 de octubre abre de 7 de la mañana a las 11 noche. El resto del año abre a las 9 mañana y cierra a las 5 de la tarde.

Como alojamiento, disponemos de dos alternativas: la Posada el Salín y la Posada de Muño. El problema es que, en temporada alta, es posible que impongan una estancia mínima de 2 noches.

0 — San Vicente de la Barquera

La Acebosa

Hortigal

Estrada

Serdio

Muñorrodero

25,73

800 m — Camijanes

Cabanzón

Puente de Arrudo
1500 m

Bielva

25,73 — Cades

Venta Fresnedo — 2800 m — Riclones

Quintanilla

Sobrelapeña

Variante Sierra de Arria

Lafuente

Coll. de la Hoz

RHJ / STOCK.ADOBE

Mosquitos del Cretácico conservados en ámbar

Si decidimos pernoctar en Puente del Arrudo es muy recomendable una visita a la cercana localidad de Rábago, a solo unos kilómetros, para visitar el Yacimiento paleontológico de Rábago / El Soplao. Es conocido principalmente por su riqueza en fósiles de artrópodos conservados en ámbar, y de hecho es considerado el yacimiento de ámbar del Cretácico más grande de Europa. Fue descubierto en 2008 por Idoia Rosales, investigadora del Instituto Geológico y Minero de España (IGME), mientras preparaba su tesis doctoral. Se encuentra en en la carretera de acceso a la famosa cueva de El Soplao, que igualmente bien merece una visita.

DARÍO RODRÍGUEZ

El camino desde Cades a Cicera está enmarcado por los bellos paisajes de los Picos de Europa, que en invierno es frecuente disfrutar con las cumbres nevadas.

DÍA 2
Muñorrodero → Cades

LONGITUD: 14,7 km. DESNIVEL: +164 m.
TRACK: https://desni.in/ebaniegotramo1

Para esta jornada tenemos dos opciones. Una es seguir la senda oficial, que pasa por Cabanzón y obliga a caminar después un par de kilómetros por carretera. Y la otra opción es no pasar por Cabanzón, sino continuar por la Senda Fluvial del Nansa, evitando la carretera, y por tanto más recomenable. Describimos a continuación la primera.

En Muñorrodero, el Camino se dirige hacia el sur haciendo uso de la Senda Fluvial, un camino acondicionado que acompaña aguas arriba al río Nansa hasta Camijanes. El peregrino no está obligado a llegar a esta población si no es que quiere comer o alojarse, ya que el Camino Lebaniego se desvía unos ochocientos metros antes para dirigirse a Cabanzón en la otra orilla del río a donde se llega siguiendo la carretera.

Cabanzón está a caballo de dos territorios muy diferenciados en sus estructuras territoriales: la marina, muy transformada por los cambios producidos en los últimos 100 años, y los valles interiores, donde las permanencias de formas de vida tradicional son todavía no-

tables. Es una aldea pequeña pero llena de historia: aparece mencionada en el año 1111, en el Cartulario del monasterio de Santillana del Mar; formó parte del primer ayuntamiento constitucional de Val de San Vicente durante el Trienio Liberal; y posee una torre medieval rodeada por una muralla que puede tener su origen en el siglo XII, pero cuya construcción actual se fija en fechas más modernas, entre el XIV y el XVI. El edificio es propiedad privada y está declarada Bien de Interés Cultural en 1992. Los cabanzoneños se sienten orgullosos de su Encinona, una encina única en la región de más de 10 metros de altura y muchos siglos en sus ramas.

CABANZÓN → CADES. 3,83 km

Dejamos atrás Cabanzón por una pista para caminar por el borde de la carretera que la une con Cades unos dos kilómetros abandonándola en la Venta de Vallejo por un carril que rodea la aldea de Otero y que ha de llevarnos hasta Cades. Antes de llegar a Cades aparece a la izquierda la desviación hacia el barrio de Puente del Arrrudo donde hay un albergue. A 1,5 kilómetros está Bielva con distintos alojamientos, farmacia y otros servicios útiles para el peregrino. Es, por lo tanto, un buen lugar para detenerse y aprovechar la tarde para visitar una ferrería que ha sido rehabilitada como centro de interpretación de este viejo oficio en Cades. El mazo se movía con el agua captada mucho más arriba que se aprovecha también para dos molinos harineros. ¡Ojo! El albergue que había en Cades lleva cerrado unos años, pero en algunos lugares se sigue mencionando.

Alternativa día 2
De Muñorrodero a Cades por la Senda Fluvial.

Longitud: 25,52 km (total tramo). **Desnivel:** +501 m y -424 m.
Track: https://desni.in/sendafluvialacades

Si no tenemos intención de pasar por Cabanzón, lo que obliga a caminar después un par de kilómetros por carretera, tenemos la oportunidad de continuar por la Senda Fluvial. Para ello, unos 500 metros después de cruzar el puente sobre el río Nansa, abandonamos el Camino Lebaniego y continuamos al lado del río siguiendo esta Senda Fluvial, que aprovecha las antiguas rutas de pescadores que seguían la orilla del río Nansa, uno de los principales ríos salmoneros del Cantábrico. La responsable de su mejora y acondicionamiento ha sido la Confederación Hidrográfica del Cantábrico, lo que ha incluido la instalación de una serie de pasarelas de madera que ha permitido acceder a áreas de gran belleza e interés que antes eran inaccesibles. El recorrido tiene aproximadamente diez kilómetros, sin mayores dificultades excepto por varios tramos de escaleras, lo que supone un obstáculo importante para los ciclistas. Durante los periodos de crecidas, algunos tramos de la ruta pueden quedar inundados, aunque es posible evitarlos utilizando rutas alternativas. El sendero atraviesa zonas que forman parte de la Red Natura 2000 (Lugar de Interés Comunitario del Valle del Nansa). Este bonito camino solo se puede tomar en temporada estival, cuando el río baja con poco caudal.

DARÍO RODRÍGUEZ

La Senda Fluvial del río Nansa sigue antiguos caminos de pescadores que han sido acondicionados con pasarelas de madera que facilitan el paso del caminante.

Seguiremos por la Senda Fluvial hasta poco antes del desvío hacia Puente del Arrudo, donde reencontramos el camino oficial. Una ventaja de esta alternativa es que, si se pretende pernoctar en el albergue de Puente del Arrudo no hay que llegar hasta Cades, pues se pasa casi enfrente. La desventaja es que no se conoce la torre de Cabanzón.

Pernocta segunda noche: en Puente del Arrudo disponemos del albergue El Cárabo, un alojamiento clave en el camino que solo dispone de 24 plazas, por lo que es importante resevar, lo que se puede hacer a través de su web.

Otra opción es continuar hasta Bielva, donde disponemos de la Posada de Bielva, que ofrece alojamiento con restaurante y bar.

DÍA 3 (senda oficial)
Cades → Cicera

LONGITUD: 16,45 km.

DESNIVEL: 597 m

TRACK: https://desni.in/ebaniegotramo2

Para esta tercera jornada tenemos dos opciones. El camino oficial sigue por Sobrelapeña,

DARÍO RODRÍGUEZ

La tranquilidad reina en la aldea de Lafuente, cuya población fija todo el año no supera el medio centenar de habitantes. Al fondo se distingue el campanario de la iglesia de Santa Juliana.

Lafuente hasta llegar a Cicera; sin embargo, es un tramo que transcurren bastantes kilómetros por carretera. Una alternativa es desviarnos del camino oficial por la sierra de Arria, que evita el asfalto pero presenta un desnivel mayor y transcurre por sendas sin señalizar que pueden ser difíciles de seguir sin un track y el equipamiento adecuado. Describimos a continuación ambas alternativas.

CADES → SOBRELAPEÑA. 7,9 km

El Camino Lebaniego busca la entrada a Liébana por el estrecho valle del río Lamasón. Inevitablemente, el peregrino tendrá que caminar por la estrecha carretera CA-282 más de diez kilómetros hasta la pequeña población de La

Fuente (o Lafuente), no sin antes pasar por Sobrelapeña. Al salir de Cades, frente a las pistas de padel que allí se encuentran, veremos una máquina expendedora de alimentos, si bien en la actualidad (verano 2024), estas máquinas no están por el momento operativas.

La carretera no tiene arcén y es bastante estrecha, por lo que es prudente caminar bien ceñidos al borde izquierdo y extremar la precaución en las curvas. En la primera parte de la misma existe la posibilidad de evitar el asfalto caminando por la placa de hormigón de un canal de agua que discurre paralelo. Por fortuna, el paisaje es tan bonito que resulta fácil olvidarse que caminamos sobre asfalto. Es después del pequeño grupo de casas que forma Venta de Fresnedo cuando comienza la zona más peligrosa de la carretera por las estrechas curvas sin visibilidad. Hay señales de «atención peregrinos». Si necesitamos comprar víveres o picar algo, poco antes

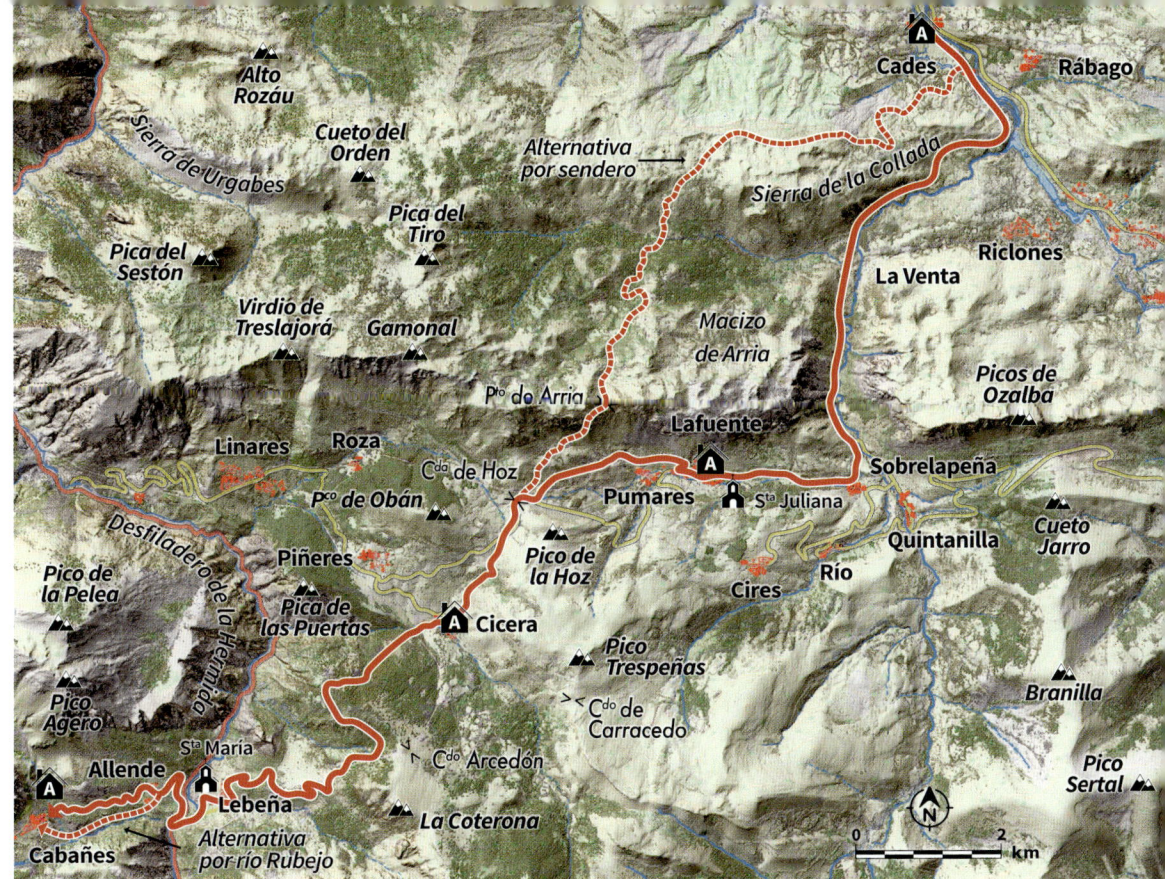

de arribar a Sobrelapeña podemos desviarnos a Quintanilla donde hay un supermercado , un bar y un centro médico —abre solo por la mañana—, y luego ir por una pista a Sobrelapeña, población que, a pesar de ser un punto clave en la ruta, carece de cualquier servicio para el peregrino: ni alojamiento, ni bar, ni tienda de comestibles...

SOBRELAPEÑA → LAFUENTE. 2,1 km

Lo más sencillo es continuar por la carretera CA-282, que remonta el valle hasta llegar a Lafuente. Como curiosidad cabe señalar que en el mapa del Instituto Geográfico Nacional los nombres de lafuente y Burio, barrio alto de Lafuente, están intercambiados. Hay un viejo camino que comienza encima del pueblo por la izquierda del valle y que discurre a media ladera, pero está muy perdido y antes de tomarlo conviene que nos lo indique bien algún vecino que lo conozca, porque de lo contrario podemos despistarnos. Lafuente (o La Fuente, que de ambas maneras se encuentra escrito), debe su nombre a una curiosa surgencia de agua que brota en el mismo pueblo. Al pie de la carretera se conserva la iglesia románica de Santa Juliana.

Servicios en Lafuente: el peregrino dispone de un albergue municipal, el Albergue de peregrinos Los Pumares, donde también podrá comer.

LAFUENTE → CICERA. 5,3 km

Frente a la iglesia abandonamos por fin la carretera para atravesar el pueblo a lo largo. Marcas amarillas y blancas de un sendero PR y las propias del Camino Lebaniego orientan al caminante hacia el barrio de Burio donde el camino inicia una decidida subida por una pista hormigonada hacia el collado de la Hoz, o de la Joz, como puede leerse en algunos lugares, trescientos metros más arriba. Al llegar al barrio de Burio

Al mirador de Santa Catalina con los seres mágicos

Si decidimos pernoctar en Cicera, es muy recomendable emplear la tarde en hacer una visita al mirador de Santa Catalina. A cambio de la caminata de unos tres kilómetros adicionales que implica, podremos disfrutar de unas de las mejores vistas de los Picos de Europa. Y, si esto es poco aliciente, por el camino nos iremos encontrando duendecillos, brujas y otros seres «mágicos».

La explicación la encontramos en la senda mitológica del monte Horzaco, una iniciativa del Ayuntamiento de Peñarrubia, inaugurada en 2019 con el objetivo de difundir las tradiciones y el patrimonio cultural y etnográfico de esta parte de Cantabria. Según nos vamos adentrando en el bosque, un precioso robledal con encinas, tilos, castaños y acebos, nos irán saliendo al paso una Ojáncana con sus colmillos de jabalí y manos y pies de oso en busca de niños para comer; o quizá el Pecu Ave, mitad hombre, mitad pájaro; o el Musgoso, que avisa a los pastores con su flauta cuando acecha la tormenta... y muchos otros personajes mágicos creados por el artista cántabro Fran Querol, que forman parte de la imaginación popular y cuyas historias se han ido transmitiendo de generación en generación.

Y tras despedirnos del último ser mágico, al final de esta senda llegaremos al impresionante mirador de Santa Catalina, que domina el desfiladero de la Hermida. Junto al mismo se encuentran los restos de un castillo altomedieval, que actualmente se denomina la Bolera de los Moros.

dispondremos de una fuente de agua potable situada en la pequeña plaza del citado barrio, al igual que la cuarta máquina expendedora, situada a escasos metros a la izquierda de la fuente. La preciosa vista del valle de Lamasón que vamos dejando atrás enjuga el esfuerzo. Tras un buen tramo diáfano, la pista desemboca en la carretera CA-282 a 250 metros del alto.

Ante los ojos del peregrino se abre un impresionante panorama de montañas. Poco después de cruzar el collado abandonaremos la carretera por la izquierda para seguir de frente por una pista con piedra suelta que desciende a Cicera. La vista de este pueblo perteneciente al municipio de Peñarrubia, rodeado de verdes pastos en el fondo del valle, contrasta con los frondosos bosques a media ladera y las cumbres rocosas.

Cicera (Premio Pueblo de Cantabria 2022), con una población actual de menos de 100 habitantes fijos, posee una arquitectura tradicio-

La iglesia de Santa Juliana, en Lafuente, una joya del románico construida en las últimas décadas del siglo XI o las primeras del siglo XII.

nal muy bien conservada, destacando el antiguo molino, el lavadero, las casas con solana, bolera... así como la iglesia del siglo XVIII.

Si decidimos quedarnos en Cicera, se puede aprovechar la tarde para ir a visitar el mirador de Santa Catalina, que está a unos 3 km: el primero por la carretera que va hacia Piñeres y el resto por la senda mitológica del monte Hozarco.

Pernocta y servicios tercer día: Cicera cuenta con un albergue de peregrinos que funciona todo el año. Dispone también del hotel El Tombo de Santa Catalina, el hotel rural y posada La Valusilla y la Posada rural El Refugio de Otto. Es el último lugar donde podemos aprovisionarnos antes de enfilar el tramo más duro del Camino Lebaniego.

FOTOS: DARIO RODRÍGUEZ

Track: https://desni.in/lebaniegoporarria

Alternativa día 3

De Cades a Cicera por la Sierra de Arria

Longitud: 14 km. **Desnivel:** +974 m y -566 m.

Track: https://desni.in/lebaniegoporarria

El trayecto por asfalto hasta Lafuente se puede evitar atravesando la sierra de Arria. Es un tramo precioso y muy variado pero es difícil de seguir si no se tiene una sólida experiencia en orientación o se cuenta con un track. Además, salva un gran desnivel. Hay que olvidarse de esta alternativa en caso de niebla o mal tiempo, pues en más de 12 km no se pasa por ningún núcleo habitado.

El camino alternativo parte de Cades por una pista hacia el sudoeste con unas rampas bastante fuertes. A poco de empezar y después de pasar una línea eléctrica, dejamos a nuestra izquierda una pista que retorna a Cades. Medio kilómetro después la pista se bifurca. Conti-

nuamos por la izquierda orientándonos decididamente al sur y luego al oeste. Al llegar a la altura de un gran prado circular rodeado por un muro de piedra (Los Estrabales) se abandona la pista por un camino a la izquierda que en un continuo sube y baja nos llevará hasta los invernales de Hedillu (desde este lugar se consiguen unas preciosas vistas de mar Cantábrico).

Sobreviene después un pequeño descenso hasta la cabecera del arroyo La Tarmá que precede al tramo más duro de esta alternativa: la subida al collado de Arria, situado a 884 metros de altitud. Hay que superar quinientos metros de desnivel en unos tres kilómetros. El primer tramo de la subida se efectúa por una pista que muy pronto hay que abandonar para tomar a la derecha un antiguo camino en el que todavía se pueden apreciar restos de empedrado. Continuamos ascendiendo y dejamos atrás la zona arbolada y el antiguo camino para afrontar el último tramo hasta el collado con una pendiente considerable.

La pared calcárea de Cueto Agero domina Lebeña, con la iglesia de Santa María en primer plano. A la izquierda, el apacible camino que atraviesa la sierra de Arria, que evita el largo tramo de asfalto entre Cades y Lafuente.

Se baja por un sendero técnico pero bien marcado que llega hasta las invernales de Lafuente y de ahí, por pista, al collado de Hoz donde se reencuentra con el camino oficial. La distancia desde Cades al collado de Hoz es de 11,7 km, con un desnivel positivo de casi 1000 metros.

DÍA 4
Cicera → Cabañes
LONGITUD: 11,6 km.

DESNIVEL: +859 y -780 m.

TRACK: https://desni.in/ebaniegotramo3

CICERA → LEBEÑA. 7,2 km
En 2008 la Fundación Camino Lebaniego marcó el camino por el collado de Arcedón, pero con motivo del anterior Año Santo

Santa María de Lebeña

La iglesia, ubicada en la localidad de Lebeña, municipio de Cillorigo de Liébana, es uno de los mejores testimonios del arte prerrománico en España, encuadrado dentro del denominado «arte de repoblación» o mozárabe. Declarada Monumento Nacional en 1893. Su construcción se atribuye a los condes de Liébana, Alfonso y Justa, en el año 925. Existe un leyenda que cuenta como los condes construyeron la iglesia a modo de relicario, con la intención de que albergase los restos de Santo Toribio. Se dice que al intentar descubrir la sepultura del santo, el conde y sus siervos quedaron ciegos, y Alfonso ofreció su cuerpo y los bienes que poseía en Liébana al monasterio de Santo Toribio, con el fin de recobrar la vista. La leyenda también explica la rara presencia de un tejo milenario y un olivo en el exterior del templo. Ambos árboles simbolizaban el amor de los condes porque ella era andaluza y él lebaniego, y en honor a sus orígenes tan diferentes decidieron plantar el olivo, árbol típicamente del sur, en la parte norte de la iglesia, y el tejo, típico del norte, en la parte sur. El tejo cayó en marzo de 2007 pero el olivo permanece.

(2017), el itinerario se modificó y desde entonces utiliza el antiguo camino entre Cicera y Lebeña que, a pesar de que da un rodeo, es más agradable, gana menos altura y discurre entre bosques. El camino sale del pueblo por la iglesia y discurre paralelo a la riega de Cicera. Unos carteles informan de que se trata de la Ruta de las Agüeras, un bonito itinerario que desciende hasta el desfiladero de La Hermida por una empinada canal. Recibe su nombre debido a que enlaza el barranco Navedo con el barranco Cicera que llevan agua abundante durante todo el año. Pronto veremos, semioculto al pie del camino, un pequeño humilladero de piedra donde antiguamente los viajeros se encomendaban a los santos pidiendo protección en su viaje.

A escasos cien metros del humilladero abandonaremos el camino principal por una senda a la izquierda que sube suavemente y se interna en un hayedo y sin dejar que ganar altura

llega a la braña de Berés, una zona ganadera abierta en un hombro del monte por el que pasa la divisoria de las comarcas de Peñarrubia y Liébana.

El desfiladero de la Hermida se abre a nuestros pies, y en frente el ciclópeo muro del macizo de Andara, los Picos de Europa orientales. El camino comienza a descender hacia el sur hasta desembocar en una pista más ancha en las inmediaciones de una finca con una cabaña. La pista asciende suavemente, llanea un rato, comienza a descender levemente y traza una gran curva a la derecha. A nuestra izquierda veremos cómo se incorpora la senda que baja del collado de Arcedón. Sin dar lugar a duda la pista nos deja a las puertas de Lebeña. Los aficionados a las rarezas geológicas están de enhorabuena. Por encima de Lebeña hay un punto llamado «Discordancia de Lebeña», donde se contempla con claridad el contacto entre la caliza de los Picos de Europa y la arenisca y limolita de Peña

Sagra. El mejor lugar para observarla es en la carretera que conduce a Allende.

LEBEÑA → ALLENDE. 2,1 km

El camino parte de Lebeña en dirección a uno de los hitos más notables de la ruta: la iglesia de Santa María de Lebeña, una de las más bellas obras del prerrománico español. Desde la iglesia de Santa María tomamos la carretera local que nos lleva al puente sobre el río Deva que cruza la N-621. Hay que caminar un centenar de metros por la carretera en sentido desfiladero de la Hermida y tomar a la izquierda el desvío que sube a Allende. Mejor que caminar por la carretera, por donde van las marcas, es hacerlo por una pista de cemento que sale a la izquierda bordeando una caseta.

Desde Lebeña, en vez de continuar por el camino oficial, se puede continuar por el Camino Viejo, uno de los antiguos caminos de entrada en el Valle de Liébana cuando no existía la carretera que atraviesa el Desfiladero de la Hermida. Describimos a continuación este recorrido, para retomar después el camino oficial desde Allende.

A la izquierda, la zona ganadera de la braña de Berés, con una tradicional cabaña de pastores y vistas a los Picos. Arriba, la iglesia de Santa María de Lebeña, cuyo interior puede visitarse en horario de mañana y tarde salvo los lunes. Hay visitas guiadas del 1 de junio al 15 de septiembre. Tel. información: 647 405 894.

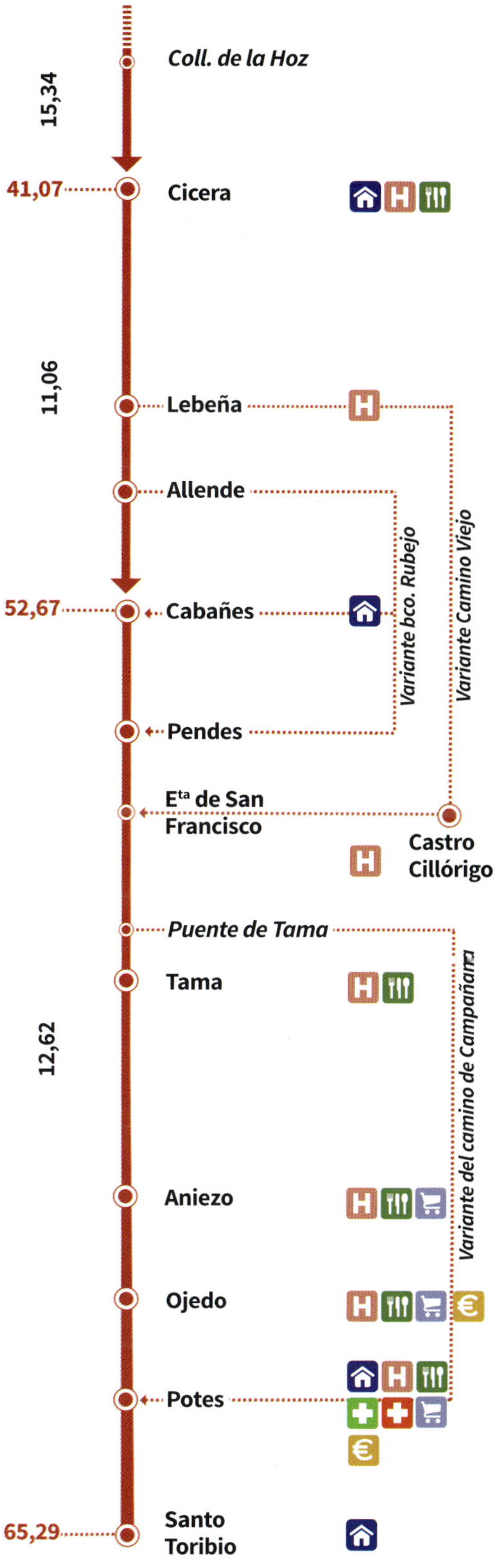

15,34 — *Coll. de la Hoz*

41,07 — **Cicera**

11,06

Lebeña

Allende

Variante bco. Rubejo
Variante Camino Viejo

52,67 — **Cabañes**

Pendes

Eᵗᵃ de San Francisco

Castro Cillórigo

Puente de Tama

Tama

12,62

Variante del camino de Campañana

Aniezo

Ojedo

Potes

65,29 — **Santo Toribio**

The map at the top contains these labels:

Alternativa por río Rubejó · Allende · Sta María · Lebeña · Cabañes · La Coterona · Pico del Acero · Pica Paña · Castañar de Pendes · Camino Viejo · Peña de la Ventosa · Pendes · Pico Soliveño · Colio · Castro · Cobeña · Eta San Francisco · Trillayo · Salarzón · Sierra de Colio · Pico del Águila · Viñón · Eta Ntra Sra de los Dolores · Armaño · Tama · San Pedro · Argüébanes · Nagalón · Aliezo · Alto de la Jugadoria · Llayo · Lon · Alternativa Camino de Campañana · Ojedo · Pico Cornejas · Cahecho · Turieno · Baró · Congarna · La Frecha · Potes · Cambarco · Santo Toribio · Mieses · Frama

https://desni.in/lebaniegoporcaminoviejo

Alternativa días 4 y 5

De Lebeña a Santo Toribio por el Camino Viejo

Longitud: 13,10 km.
Desnivel: +459 m y -510 m. **Track:**
https://desni.in/lebaniegoporcaminoviejo

Este camino, también llamado camino Concha la Cova, es realmente bello, espectacular por el paisaje que le rodea y que en sólo 3,27 kilómetros llega al pueblo de Castro Cillórigo acortando seis kilómetros al itinerario oficial y un buen montón de metros de desnivel. El camino está marcado como sendero de pequeño recorrido (PR-S3) y también tiene flechas rojas repintadas hace pocos años.

Una vez dentro es fácil de seguir —si bien hay bifurcaciones que no tiene señales— pero encontrar el comienzo no es fácil. La señal que indica como tomarlo está en un pequeño aparcamiento y no es fácil verla. En el cartel se advierte que se trata de un sendero con tramos rocosos sólo apto

para excursionistas con experiencia. En caso de duda, nada mejor que preguntar a un paisano.

Esta alternativa al camino oficial —que muchos peregrinos recomiendan por la belleza del recorrido y por el ahorro de tiempo que implica— utiliza una pista cementada que sube hacia el sur en empinadas curvas por la ladera de Peña la Ventosa. Aparecen varias desviaciones y hay que seguir siempre el camino más marcado. Tras ganar altura, el camino avanza hacia el desfiladero por un encinar hasta pasar por un collado reconocible por una torreta del tendido eléctrico. Un poco más adelante se llega a una horcada donde hay que desviarse a la derecha para bajar entre encinas y rocas tomando como referencia las torretas eléctricas. Comienza el tramo más complicado del camino pues éste atraviesa placas de roca que pueden ser muy resbaladizas cuando están mojadas y en un tramo se pone bastante empinado. Todo este sector ha sido protegido con un pasamanos. El paisaje es de una belleza abrumadora, con el desfiladero a

DARÍO RODRÍGUEZ

Los habitantes más antiguos de Liébana

Testigo del devenir de la humanidad, el Castañar de Pendes o del Habario ha visto pasar civilizaciones en torno a sus gruesos y retorcidos troncos. Sus centenarios castaños han sobrevivido a tormentas, a guerras y hasta a plagas, como la mortal "la tinta", que en el siglo XVIII arruinó con su dañino hongo la mayor marte de castañedas de la Península. Arraigado en los rellanos y pastizales entre las localidades de Pendes y Cabañes, se encuentra en una zona en la que hay una pequeña área recreativa, ideal para relajarse. Si tenemos tiempo podemos disfrutar de la vista del desfiladero de la Hermida, Valle de Liébana y los Picos de Europa desde uno de los mejores miradores del Valle de Liébana: el Corral de los Moros, situado a 1 km del Castañar.

nuestros pies y la imponente mole gris del pico Agero ocupando todo el horizonte por el norte. El camino continúa por la ladera, entre encinas y enebros, hasta salir del desfiladero y bajar a la carretera. Hay que seguirla unos metros antes de cruzarla para tomar un camino que pasa por la trasera de La Ventosa. Un puente nos permite pasar a la ribera izquierda del Deva.

Castro está inmediatamente encima y para llegar a él hay que superar una corta pero empinada rampa. Poco antes de entrar en el pueblo aparece un desvío a la izquierda que desciende de nuevo al nivel del río. En un kilómetro pasaremos por

delante de la ermita de San Francisco donde reencontraremos el Camino oficial procedente de Cabañes y Pendes. Veremos también señales del GR-71 que comparte la Ruta Asturiana procedente de Sotres. Con el Camino oficial se convive durante casi dos kilómetros (inevitablemente habrá que utilizar un pequeño trecho la carreterilla de Pendes), exactamente hasta el punto en el que aquél cruza el río Deva para ir a Tama.

ALLENDE → CABAÑES. 2,36 km

El camino cruza la aldea hacia el norte y abandona la pista de las invernales de Pelea para

DARÍO RODRÍGUEZ

tomar a la izquierda una pista hormigonada que primero sube decididamente y luego discurre a media ladera del barranco del río Rubejo hasta Cabañes. La primera casa que se encuentra al entrar en Cabañes es el albergue de peregrinos.

Pernocta día 4: En Cabañes hay dos albergues de peregrinos y una posada.

Alternativa día 4

De Allende a Cabañes por el barranco de Rubejo

Longitud: 12,62 km (de Cicera Cabañes). **Desnivel:** +726 y -674. **Track:** https://desni.in/lebaniegoporbarrancorubejo

Al lado de la ermita de Santa Eulalia, en el lado oeste de Allende, arranca una senda que discurre por el fondo de la vaguada del río Rubejo o Robejo. Pese a su aspecto antiguo, la ermita es

Arriba, la ermita de Santa Eulalia, junto a la que comienza la senda por la que transcurre la variante del Camino Lebaniego que pasa por el barranco de Rubejo.

«moderna». Se construyó a mediados del siglo pasado para sustituir a otra en ruinas. A su lado podemos ver un poste con una placa verde y una flecha y también algunas flechas rojas pintadas en árboles y piedras que delatan la calidad de variante del Camino Lebaniego.

Dejando atrás la ermita aparece ante nosotros el Pico Aliago, cerrando el sur la garganta del Rubejo en la cual entraremos en breve. Al llegar a ella, el sendero, bastante ancho hasta el momento, se estrecha extraordinariamente, y en algunos tramos no es más que un hilo marcado entre los muretes de la derecha y la ladera que baja hacia el río. Caminamos rodeados de una frondosa vegetación que llega a formar túneles. Es un buen camino para hacer en verano. Después de un rato bajando llegamos al río, más bien un torrente. A los pocos metros de caminar

WWWWWild hits different.

Find the Love. Run WWWild.

MERRELL   Agility Peak 5—Cushiony comfort mile after mile after mile.

junto al cauce lo cruzamos por un puentecillo y comenzamos a subir, ahora con el río a nuestra derecha. En esta ladera sombría, el musgo cubre las rocas y los troncos de los árboles. En algunos tramos, la roca madre parece haber sido tallada o, incluso, asemeja un empedrado.

Mucho más arriba volvemos a cruzar el río por otro puente de madera. Algunas pequeñas cascadas amenizan la excursión y ofrecen la excusa para parar y dar cuartelillo a las piernas, el corazón y la cámara fotográfica. Entre una vegetación exuberante y el arrullo del río llegamos a una bifurcación donde hay varias señales y un pequeño panel con un mapa que describe una excursión circular. Si seguimos por el camino principal llegaremos a Cabañes. Si no deseamos pasar por allí continuaremos por la trocha de la izquierda que nos sacará de la canal para llevarnos hasta la Castañera de Pendes o Habario, una amplia zona de pasto con castaños milenarios donde también se enlaza con el camino oficial. Una vez aquí podemos continuar por el asfalto hasta Pendes —ca-

mino oficial— o bajar por una senda que comienza al otro lado de la carretera que ataja tres curvas. Hay que tener cuidado para no seguir hacia el sudeste por una pista que lleva al collado Arenas. Pronto llegaremos de nuevo a la carretera.

DÍA 5
Cabañes → Monasterio de Santo Toribio

LONGITUD: 12,62 km. **DESNIVEL:** +290 y -350 m.
TRACK: https://desni.in/lebatramo4

CABAÑES → PENDES. 2,8 km

Al salir del Albergue de Cabañes, en mitad del pueblo, veremos a nuestra izquierda una señal contradictoria que indica, con flecha roja, hacia arriba (derecha) la ruta del Camino Lebaniego y, también hacia abajo (izquierda) con color amarillo. Os aconsejamos seguir la flecha amarilla que nos llevará por camino al río Rubejo para luego ascender al castañar de Pendes. La flecha roja

Sobre las casas de Lebeña se yerge la Peña Ventosa, cuya cumbre se eleva hasta los 1437 metros. A la izquierda, uno de los puentes de madera que cruza el río Rubejo; una alternativa especialmente recomendable para el verano.

nos llevará al mismo lugar pero por la carretera, un recorrido más largo y menos bonito. El Castañar de Pendes es un lugar único, en el que merece la pena detenernos a disfrutar de sus árboles centenarios. Si disponemos de tiempo, podemos acercarnos al mirador del Corral de los Moros, a 1 km del Castañar, al que llegaremos por una pista que al comienzo tiene unos troncos clavados en el suelo, que lleva a un collado a cuya derecha encontraremos el mirador.

Dejamos atrás el castañar siguiendo la carretera para recorrer unas curvas muy bellas antes de alcanzar el pueblo de Pendes.

PENDES → POTES. 6,8 km

Atravesamos Pendes y seguimos descendiendo hacia el fondo del valle hasta llegar paralelo al río Deva a la altura de la ermita de San Francisco de Trasvega. Entre ermitas y alguna que otra fábrica y después de cruzar la N-621, el camino llega a Tama. A 1 km y medio al norte está el centro de interpretación del Parque Nacional de los Picos de Europa. No es mucha distancia, pero lo malo es que para llegar hasta allí hay que caminar por el borde de la N-621; aunque tiene señales del Camino Lebaniego, desaconsejamos ir puesto que, además de dar un mayor rodeo, transcurre por el arcén de la carretera nacional, en algún momento entre naves industriales.

Alternativa día 5

De Pendes a Potes por Rubejo y el camino de Campañana

Longitud: 13,10 km. **Desnivel:** +459 m y -510 m.

Track: https://desni.in/alternativacampaana

La última etapa del Camino Lebaniego oficial tiene dos tramos de carretera que se pueden evitar. El primero, entre Cabañes y Pendes, no es

DARÍO RODRÍGUEZ

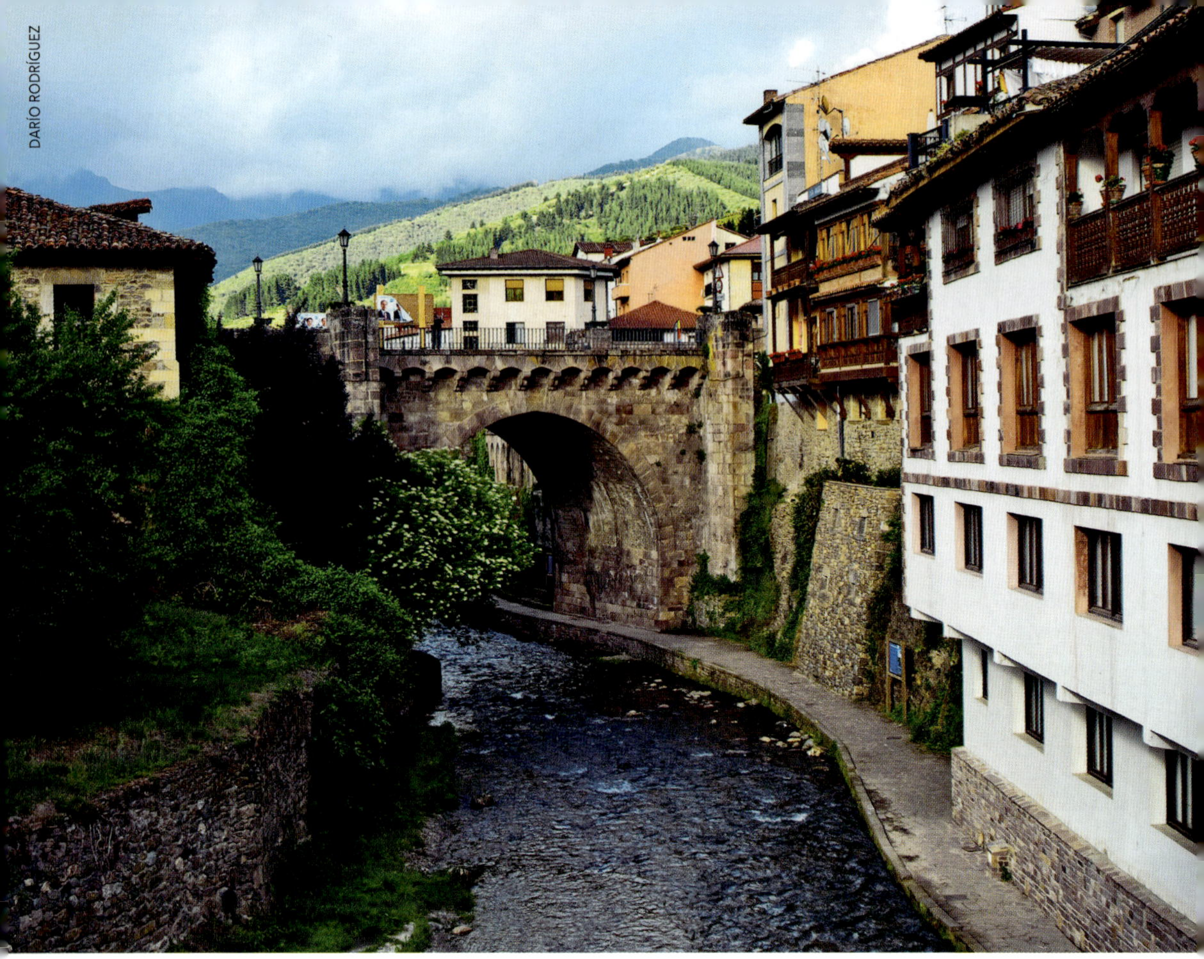

Los 5 imprescindibles de Potes

• Entre los muchos puentes (potes) que dan nombre a la localidad, destaca el puente medieval de San Cayetano construido entre los siglos XIII y XV, así como el Puente Nuevo, el único por el que actualmente circula trafico rodado.

• Torre del Infantado, una fortificación del siglo XVI, icono de la localidad, que en la actualidad aloja el Ayuntamiento y salas de exposiciones. Fue construida en el siglo XIV y ha sido testigo de las muchas escaramuzas entre los linajes que compitieron por el control de la comarca. Acoge la exposición «Beato de Liébana y sus beatos», compuesta por 22 códices, así como un museo en torno a la figura y visión de este abad lebaniego.

FOTOS: TOÑO BALAGUER / STOCK.ADOBE

• Plaza del Capitán Palacios, centro neurálgico y comercial de la villa, es un espacio abierto, con soportales en uno de sus lados y un pintoresco templete en su centro. Los lunes celebra un mercado tradicional -del que ya hay referencias en los documentos medievales- en el que se pueden comprar productos frescos de la región.

• Iglesia de San Vicente, declarado Monumento Artístico y formado por dos templos, el primero del siglo XIV y el segundo de finales del XIX. Con fantásticos retablos y lienzos en su interior.

• Barrio de la Solana, con sus callejuelas empedradas y antiguas casas solariegas, que incitan a perderse y reencontrarse en sus terrazas, restaurantes y bares.

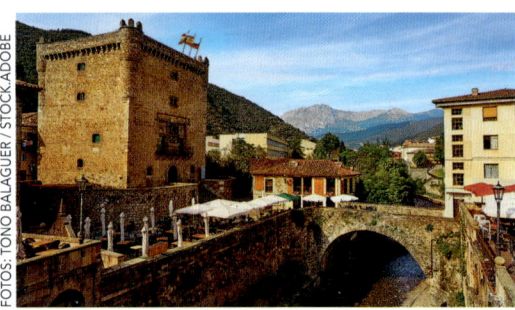

A la izquierda, el Puente Nuevo de Potes y debajo su Torre del Infantado. Una estatua en bronce recibe al peregrino al llegar a esta villa, de donde no puedes irte sin probar un buen cocido lebaniego (abajo).

significativo, pues el tráfico es poco menos que existente, pero el segundo es por el arcén de la N-621 que lleva siempre bastante carga de coches y puede ser peligroso.

El primero se puede esquivar yendo hacia la cabecera del barranco del río Rubejo y subiendo después directamente hasta El Habario. El segundo también es fácil de sortear. En el punto en el que el Camino oficial atraviesa el río Deva para dirigirse a Tama podemos continuar de frente por el camino de Campañana, una pista asfaltada que conduce hasta Potes sin interrupción y con mucha más tranquilidad que por el arcén de la carretera. El punto en el que se toma está señalado con una rústica flecha roja en el mismo mojón que marca el camino oficial, y en el pretil del propio puente. Después no tiene pérdida. En él veremos señales del GR-71 y de los senderos de pequeño recorrido PR-S3 y S4.

POTES → SANTO TORIBIO. 3 km

Potes es el centro geográfico, histórico, turístico y comercial de la comarca de Liébana, con un casco histórico que fue declarado Monumento Histórico-Artístico en 1983. La villa debe su

nombre a los puentes (potes) ya que se localiza en una llanura en la confluencia de los ríos Deva y Quiviesa. Por sí mismo, merece un día entero o más para visitarlo.

Potes goza de una intensa vida social y cultural y nos atrapará con su animación y actividad comercial, pero aún tenemos tres kilómetros por delante para llegar a nuestro destino; después tendremos tiempo de visitar Potes como se merece y celebrar nuestro esfuerzo. Por la calle principal atravesamos todo el centro de la villa siguiendo la carretera CA-185 hasta el desvío de la carretera que sube al monasterio. No hay pérdida: los carteles indican la proximidad de Santo Toribio y un peregrino de bronce en mitad de la rotonda da fe de ello. Pero, como si la meta se hiciera rogar, aún habrá que vencer una última «subidita» por un andadero paralelo a la carretera antes de poder tocar el destino final del peregrinaje: el monasterio donde nos aguarda el *Lignum Crucis* y nos sellarán la Lebaniega.

FOTOS: DARÍO RODRÍGUEZ

La Peña Ventosa se impone en las vistas de gran parte del camino, especialmente en los alrededores de Lebeña, donde se encuentra el Castañar de Pendes con ejemplares centenarios, como el de la imagen. Abajo, la ermita de de San Francisco de Trasvega, del siglo XVII, junto al pueblo de Castro Cillorigo.

En 4 días
esquivando el asfalto todo lo posible

Cuatro días es la duración más habitual que escogen los peregrinos para realizar el Camino Lebaniego siguiendo el camino oficial. La descripción correspondería a lo detallado en las páginas previas, únicamente prescindiendo de la primera noche en Muñorrodero. Se realiza por tanto una primera etapa más larga hasta Cades, de unos 25 km en total, si bien con un desnivel bajo que lo hace perfectamente apto para cualquier persona en un estado físico normal.

El Camino Lebaniego oficial tiene la "desventaja" que pasa por muchos tramos de carretera, que en algunas ocasiones es imposible evitar, pero que ofrece distintas alternativas que en muchos casos sí permite esquivar el asfalto, tal y como hemos detallado anteriormente. Entre todas estas alternativas, teniendo en cuenta las opiniones y experiencias de peregrinos que conocemos, aquí te proponemos una combinación de las rutas que evitan en mayor medida el asfalto, por sendas o caminos que atraviesan los lugares naturales, pero sin prescindir de las visitas a los principales monumentos arquitectónicos y puntos de interés. Un viaje a pie para realizar en cuatro días.

DÍA 1
San Vicente de la Barquera → Puente del Arrudo

Prácticamente toda la etapa discurre por el camino oficial, pero después de cruzar el río Nansa por el puente del Tortorio, en lugar de seguir hacia Cabanzón, hay que tomar un desvío que enlaza con la segunda parte de la Senda Fluvial que llega directa a Puente del Arrudo. Se evitan así varios kilómetros de asfalto. Esta variante tiene en contra que no se ve la torre medieval de Cabanzón y que se inunda en periodos de lluvia.

• **Longitud:** Es una etapa larga, de casi 28 kilómetros en total.

Los tramos del Camino Lebaniego que transcurren por la Senda Fluvial del Nansa (en la imagen) y, más adelante, junto al río Deva, han llevado a que sea conocido como «Camino del Agua».

• **Alojamiento:** En Puente del Arrudo disponemos del albergue de peregrinos El Cárabo y el hotel Casona del Nansa para pernoctar.

DÍA 2
Puente del Arrudo → Cicera

Evitaremos la larga carretera entre Puente del Arrudo y Lafuente si utilizamos el camino que atraviesa la sierra de Arria. Es un itinerario que no está marcado y no es fácil de seguir, por lo que hay que evitarlo en caso de niebla o mal tiempo. Hay que tener en cuenta que no encontraremos ningún pueblo donde preguntar o aprovisionarnos. En invierno llega a cubrirse por la vegetación, haciendo que sea difícil seguirlo. La variante tiene en contra que se pierde la posibilidad de conocer la bella iglesia de Santa Juliana en Lafuente, pueblo que dispone de un albergue municipal. Es una etapa bastante corta pero que se puede «enriquecer» con la excursión desde Cicera por la senda mitológica al mirador de Santa Catalina desde donde se consiguen unas vistas de fábula del desfiladero de La Hermida.

• **Longitud:** Es bastante más corta que la etapa anterior, de unos 17 km, aunque con más desnivel.

• **Alojamiento:** en Cicera, además de albergue de peregrinos, disponemos de dos hoteles, una posada y una casa rural.

DÍA 3
Cicera → Cabañes

Una vez llegados a Lebeña, en lugar de ir por la carretera guiándonos por los mojones lebaniegos, subiremos a Allende por la pista que sale hacia la izquierda (con señales del Lebaniego) bordeando una caseta. En las primeras casas de Allende giramos a la izquierda y veremos la señal que indica hacia la senda del río Rubejo o Robejo. Es un sendero bonito y fresco, ideal para los días de verano. Al llegar a la desviación con una señal que dirige al albergue de Cabañes recomendamos ignorarla y seguir hasta topar con el camino que va de Cabañes al Habario. Una vez en él sólo hay que seguirlo hacia la derecha para llegar a Cabañes.

• **Longitud:** Es una etapa corta, de unos 12 km en total.

• **Alojamiento:** en Cabañes hay un albergue de peregrinos, una posada y una casa rural.

DÍA 4
Cabañes → Santo Toribio

Salimos de Cabañes por el mismo camino que nos trajo hasta aquí en dirección al Habario. Desde El Habario ya no se abandona el camino oficial hasta el puente de Tama. Allí, ignorando las marcas que se dirigen hacia la N-621, y sin cruzar el puente, seguimos por el camino de Campañana que por la ribera izquierda del Deva nos llevará hasta Potes. Es una pista asfaltada, pero es, a todas luces, más tranquila y segura que el arcén de la carretera nacional. Una alternativa para ir de Cabañes a Potes es ir desde Pendes a Colio, y desde allí bajar por caminos vecinales a Viñón, Lles, Rases y Potes. Es un itinerario más largo y sin ningún tipo de señalización, pero es espectacular.

• **Longitud:** unos 12 km en total.

• **Alojamiento:** en Potes tenemos una treintena de alojamientos para escoger, entre hoteles, casas rurales, posadas...

En 3 días
por el Camino Viejo

Es bastante frecuente recorrer el **camino oficial** en tres jornadas, dividiéndolo en:

• **San Vicente de la Barquera a Cades**
(28 km, desnivel acumulado 577 m).

• **Cades a Cabañes**
(30 km, desnivel acumulado 1525 m).

• **Cabañes a Santo Toribio**
(13,7 km, desnivel acumulado 339 m).

Esta opción tiene la desventaja que la segunda etapa es bastante dura, no solo por la distancia, sino por el importante desnivel acumulado que presenta, para el que necesitaremos estar en

muy buen estado de forma, teniendo en cuenta que es una jornada que nos va a llevar al menos ocho o nueve horas de caminata.

Si queremos evitar el asfalto y solo disponemos de tres días, recomendamos seguir el camino oficial tal y como está descrito en las páginas previas pero abandonarlo una vez que lleguemos a Lebeña, para continuar después por el **Camino Viejo o camino por Concha Cova**. Es un sendero espectacular que transcurre por encima del desfiladero de La Hermida. Un cartel advierte que es sólo apto para excursionistas experimentados porque tiene un tramo rocoso equipado con un pasamanos. Se necesita preparación y no se puede hacer en todas las épo-

En 1 o 2 días
corriendo o en bici

Puede haber quienes deseen afrontar el camino priorizando el valor deportivo, prescindiendo de paradas en los lugares emblemáticos a cambio de la satisfacción del esfuerzo físico que implica este reto. Con esta visión, existe la carrera Ultra Trail Desafío Cantabria, una iniciativa desarrollada por la asociación Desafío Cantabria en colaboración con el Ayuntamiento de San Vicente de la Barquera. Aunque no sigue exactamente la senda del Camino Lebaniego, sí comparte muchos tramos, desarrollándose la mayor parte de su recorrido por rutas de montaña.

El Ultra Trail suma casi 82 km, con partida en San Vicente de la Barquera y llega hasta la localidad de Potes; el mejor tiempo del año pasado lo hizo el marroquí Zaid Ait Malek, con solo 11h 9min.

También organizan otras pruebas con una exigencia no tan extrema. La primera es un Trail nocturno de 33.5 km, con salida en San Vicente de la Barquera y llegada en Cicera, que comparte recorrido con la prueba ultra. Y la segunda es Marcha nocturna, de 24 km con salida en San

Corriendo o en bici se pueden acortar los tiempos de recorrido del camino, disfrutando de sus impresionantes paisajes. Abajo, en el tramo del Camino Viejo con pasamanos, el más arriesgado.

cas del año, resultando impracticable cuando hace mal tiempo. Este camino nos llevará hasta la N-621 que se abandona unos centenares de metros después de ir hasta cerca de Castro Cillórigo por una pista de cemento que seguiremos hasta enlazar con el camino oficial en la ermita de San Francisco.

• **Alojamiento:** Si optamos por el Camino Viejo, la primera noche podemos pernoctar bien en el albergue del Puente del Arrudo o bien en la cercana Bielva (a 2 km), donde tenemos una posada. La segunda noche podemos pernoctar en el albergue de Cicera (sin subir a Cabañes), y en la tercera etapa llegamos a Santo Toribio, pasando la última noche en Potes.

FOTOS: DARÍO RODRÍGUEZ

El camino oficial Lebaniego presenta tramos no ciclables, que obligan a buscar alternativas por pistas.

Vicente de la Barquera y llegada en Cades, que comparte salida con la Ultra y la Trail pero se desvía para hacer la senda fluvial del Nansa de manera completa.

Este año se celebra del 4 al 6 de octubre, y tienen toda la información, tracks incluidos, en su web: www.desafiocantabria.org

Si te gusta que la vida vaya sobre ruedas, has de saber que no existe un itinerario «oficial» del Camino Lebaniego para realizar en bicicleta. Aunque la ruta oficial para caminantes incluye tramos ciclables, algunos son carreteras con un tráfico muy intenso, y por tanto poco recomendables. Para evitarlas, hay varias alternativas ciclistas y ninguna es fácil. La modesta longitud —no llegan a los 60 kilómetros— puede llevar a engaño, pues los desniveles son importantes. Un ciclista bien entrenado y con espíritu deportivo, puede afrontar el camino en una sola jornada, pero la mayoría de los cicloturistas tendrán que invertir al menos dos días. Lafuente o Cicera, ambos con albergues, son buenos puntos inter-

medios. La elección del tiempo y de las alternativas dependerá de la habilidad sobre la bicicleta y, sobre todo, la capacidad física. Estas son tres de las posibles opciones con sus respectivos tracks, si bien a partir de ellas cada "cicloperegrino" puede diseñar la ruta que más se adapte a sus condiciones y perspectivas:

OPCIÓN 1
Cicera / collado Arcedón directo / N-621 / camino Campañana.
LONGITUD: 53,6 km.
DESNIVEL: +1905 y -1424 m.
TRACK:
https://desni.in/lebaniegoenbici1

OPCIÓN 2
Cicera / collado Arcedón por collado de Carracedo / N-621 / camino Campañana.
LONGITUD: 56,1 km.
DESNIVEL: +1874 y -1393 m.
TRACK: https://desni.in/lebaniegoenbici2

OPCIÓN 3
Cicera / collado Arcedón directo / Cabañes / camino Campañana.
LONGITUD: 57,3 km.
DESNIVEL: +2354 y 1873 m.
TRACK: https://desni.in/lebaniegoenbici3

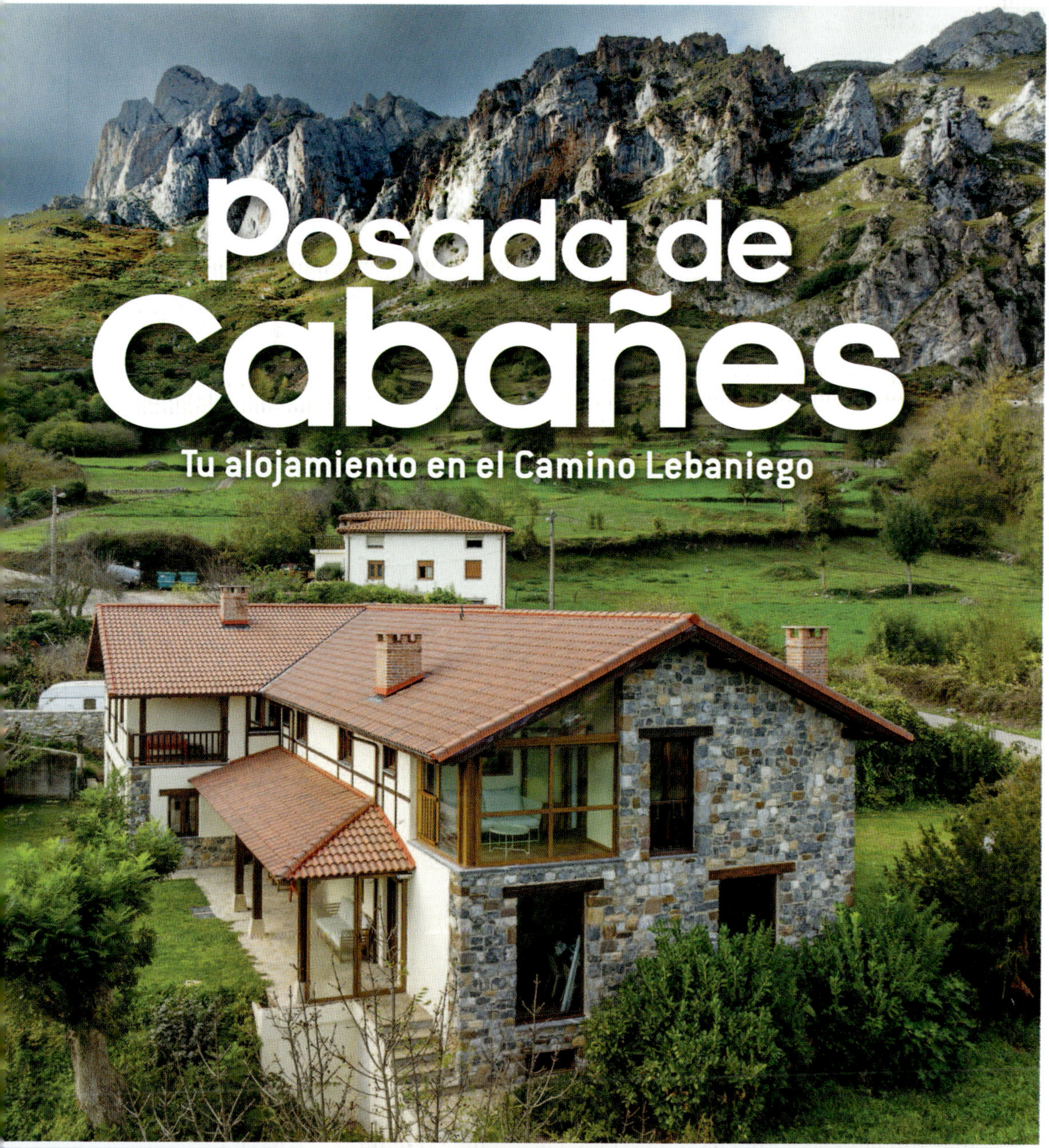

Posada de Cabañes

Tu alojamiento en el Camino Lebaniego

HABITACIONES PRIVADAS CON BAÑO Y VISTAS AL EXTERIOR

CABAÑES (PENDUSO) | VALLE DE LIÉBANA | CANTABRIA

+34663571227 | POSADACABAÑES.COM

Guía práctica del peregrino

Si estás leyendo esta guía práctica, ya has comenzado la aventura, mucho antes incluso de dar el primer paso. Y es que tener una buena planificación es una parte fundamental para llevar a cabo con éxito tu objetivo, especialmente en peregrinajes como el del Camino Lebaniego, en el que se afrontan tramos largos sin abastecimiento o alojamiento, que necesitan una organización previa. El Camino empieza primero en tu cabeza cuando lo sueñas, después en casa cuando lo planificas y por fin cuando echas a caminar.

Credencial y Lebaniega

La credencial es necesaria para usar los albergues de peregrinos y para conseguir La Lebaniega, el documento que acredita la peregrinación. Se obtiene en la parroquia de El Cristo de Santander (parroquiaelcristo@gmail.com; tel: 942 211 563) y en la iglesia Nuestra Señora de los Ángeles de San Vicente de la Barquera (Tel.: 942 710 026). También en las oficinas de turismo de Santander, de Santillana del Mar, de Torrelavega, de Castro-Urdiales, de Laredo, de San Vicente de la Barquera, de Potes y de Tama, dentro del horario de cada oficina.

Dormir

El Camino cuenta con una decena de albergues, tanto públicos como privados. La mayoría funciona bajo reserva. En todos hay almohadas y mantas, pero sábanas solo en algunos. Conviene llevar un saco-sábana o saco de dormir ligero.

• **Albergue Nomada Hostel de San Vicente de la Barquera** (compartido con el Camino del Norte). 42 plazas. Tel: 623 295 526 y https://nomadahostel.es
• **Albergue municipal de Puente del Arrudo.** 24 plazas. Tel: 613 144 466 y web: https://alberguee l carabo.es.
• **Albergue municipal de Lafuente.** 20 plazas. Tel: 651 624 128.
• **Albergue municipal de Cicera.** 20 plazas en dos dormitorios. Tel: 658 328 773 y 942 730 964.
• **Albergue La Casuca del Perdón en Cabañes**. 14 plazas. Tel: 696 941 457 y https://albergue caminolebaniego.es
• **Albergue de Cabañes**. 50 plazas. Tel: 613 91 22 87 y web: www.alberguecabañes.com.
• **Albergue público de Potes.** Cuenta con 60 plazas. Tel: 942 738 126 y 638 867 954.
• **Albergue la Cabaña (Potes).** Privado. 80 plazas. Tel: 611 096 580 y web: www.alberguela cabana.com
• **Albergue Brisas del Deva (Potes).** Privado. 40 plazas. Tel: 942 738 119 y web: www.brisasdel deva.com/es
• **Albergue de Santo Toribio.** 40 plazas. Actualmente (verano 2024) este albergue se encuentra cerrado, sin fecha de apertura prevista. Tel: 687 031 667.
• **Además, hay alojamientos** de diferente clase en algunos de los pueblos que atraviesa el Camino Lebaniego o cercanos, desde posadas, hostales, casas rurales, apartamentos... En prácticamente todos ellos es imprescindible reservar con bastante antelación. Puedes consultar el listado de alojamientos en: https://desni.in/lojamientoebaniego

FOTOS: DARÍO RODRÍGUEZ

El albergue de Cabañes (con piscina), una buena opción para afrontar la última etapa del camino. Izquierda, rellenando la credencial que permite conseguir la Lebaniega y paneles indicadores en el Camino Lebaniego.

Comer

No todos los pueblos por los que pasa el camino disponen de tiendas, restaurantes o bares donde abastecerse. Prevé con antelación la duración de cada etapa y lleva provisiones en consecuencia. En la web oficial hay buscador de lugares en los que comer.

Consejos

• Es probable que encontremos mastines que cuidan los rebaños de ovejas. Son animales tranquilos y nobles pero su tamaño intimida. Si alguno se acerca ladrando aléjate con calma y si vas en bicicleta, bájate y camina despacio. Si llevas mascota, átala.

• Asegúrate de llevar equipamiento adecuado para caminar largas distancias, especialmente un calzado que sea cómodo.
• Para los tentempiés de jornada de caminata, lleva alimentos energéticos y mantente bien hidratado, bebiendo agua frecuentemente.
• Infórmate sobre los centros de salud y hospitales en la ruta para cualquier emergencia.
• Algunos establecimientos o mercados locales no admiten tarjeta; asegúrate de llevar también dinero en efectivo.
• Recuerda que lo importante es el camino y la experiencia, no la meta.

Cartografía

Hojas 33-III, 57-I y II, 56-IV y 81-II del IGN. Escala 1:25 000.

Webs de interés

• **Oficial del Camino Lebaniego.**
https://caminolebaniego.com

• **Grupo de Acción Local Liébana.**
https://www.comarcadeliebana
.com. Tel: 942 730 726.

• **Asociación Amigos del Camino de Santiago y Jubilar Lebaniego.**
www.caminorealcostacantabria.com

• **Blogs con información útil:**
www.caminolebaniego.es
www.gronze.com
www.veredadeheterodoxos.net

En el tramo del Camino Vadiniense, conocido como Senda del Mercadillo (balizado como PR), que cruza la Cordillera Cantábrica. Lo utilizaron históricamente lebaniegos y valdeonenses principalmente para comerciar.

VADINIENSE, LEONÉS Y ASTURIANO

LOS OTROS CAMINOS LEBANIEGOS

Recogemos aquí algunos de los caminos tradicionales que utilizaban los peregrinos que, después de cumplir con Santo Toribio, proseguían su andar hacia Santiago de Compostela, bien retomando el Camino del Norte por el litoral o bien yendo al encuentro del Camino Francés por el interior, salvando los Picos de Europa, con las alternativas del Camino Vadiniense y el Leonés. Por su parte, el Camino Lebaniego Asturiano realiza el peregrinaje a Santo Toribio en sentido contrario, partiendo de la catedral de Oviedo y aprovechando antiguas vías de comunicación.

EN la Edad Media, el monasterio de Santo Toribio era habitual como destino de peregrinaje con identidad propia por los poderes curativos y milagrosos que se atribuían tanto a la reliquia del *Lignum Crucis* como a los restos del Santo de Astorga, Santo Toribio, que allí reposaban. Muchos de estos peregrinos continuaban después a Santiago de Compostela, siguiendo las variadas rutas de enlace que existían desde Liébana a la capital gallega. Algunos volvían a subir para retomar el Camino del Norte, y otros optaban por atravesaban los Picos de Europa, escogiendo para ello principalmente dos rutas que salvaban las montañas más escarpadas: una por el collado de Remoña y el puerto de Pandetrave, y la otra por el puerto de San Glorio, conocidas hoy en día como Camino Vadiniese la primera y Camino Leonés la segunda. Ya en territorio leonés, en la cabecera del valle de la Reina, volvían a reunirse para encaminar sus pasos a venerar los restos del apóstol Santiago en su catedral.

CAMINO VADINIENSE
De Santo Toribio a Mansilla de las Mulas

Los vadinienses fueron una de las tribus prerromanas que habitaron el norte de la Península Ibérica, concretamente en la región comprendida entre Mansilla de las Mulas (en la provincia de León) y las majestuosas montañas de los Picos de Europa. Estos habitantes del Cantábrico, cuyo apogeo se sitúa entre los siglos I y V de nuestra era, eran conocidos por su cultura distintiva y su

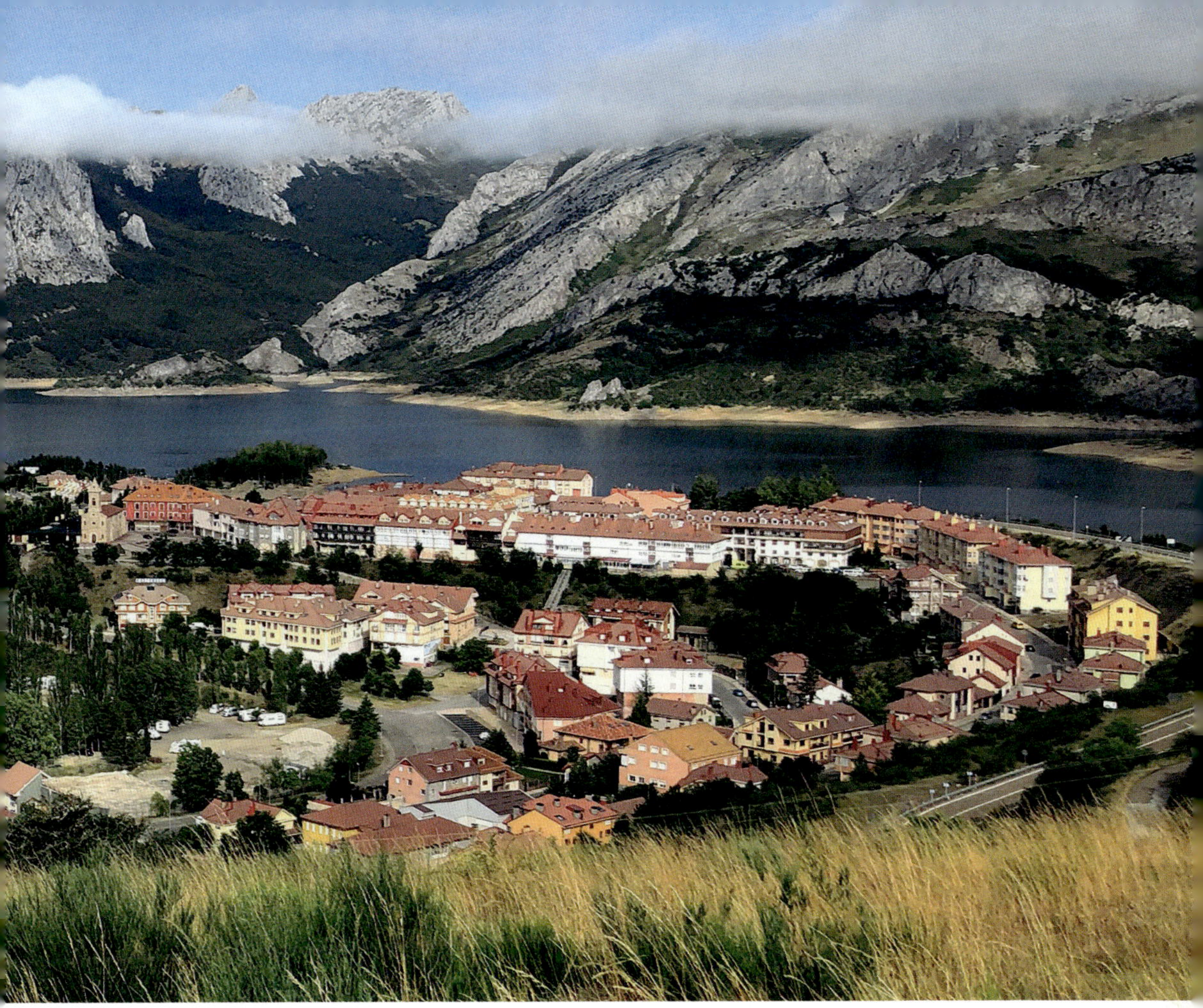

ASOCIACIÓN DE AMIGOS DEL CAMINO VADINIENSE

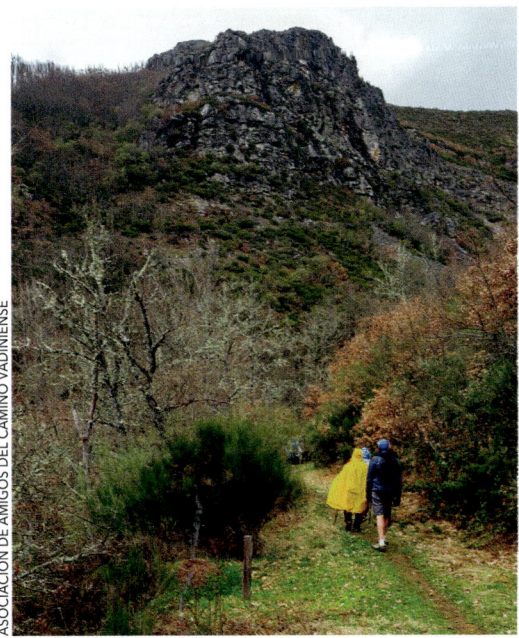

El actual pueblo de Riaño y su embalse, bajo cuyas aguas quedaron sepultados nueve pueblos en 1987, con la construcción de la presa, y junto al que transcurre el Camino Vadiniense antes de unirse al Camino Francés. Izquierda, otro tramo del Vadiniense.

feroz independencia. Vivían en castros, asentamientos fortificados situados en colinas estratégicas, y su economía se basaba en la agricultura y la ganadería. Una de las características de los vadinienses era su organización matriarcal. Las mujeres desempeñaban un papel central en la sociedad, tanto en la vida familiar como en la toma de decisiones comunitarias. Además, este pueblo era conocido por su valentía en la defensa de su libertad y tradiciones. Para ellos, la muerte en batalla o incluso el suicidio mediante el consumo de veneno extraído del tejo, un árbol común en la región, era preferible a la captura y la esclavitud.

CAMINO VADINIENSE

LONGITUD: 160 km.

DESNIVEL: +2669 y -2135 m.

ETAPAS: recomendable invertir entre seis y siete jornadas.

SEÑALIZACIÓN:  Cuenta con flechas de color amarillo en diferentes soportes y postes con la flecha y el logotipo de la Asociación de Amigos del Camino de Santiago-RutaVadiniense.

EN BICI: prácticamente todo el camino se puede recorrer en bici de montaña.

ALOJAMIENTO: hay media docena de albergues entre públicos y privados, así como hostales, pensiones y casas rurales en los pueblos más importantes. Información en: https://desni.in/alorutavadiniense.

OBSERVACIONES: hay etapas con largos tramos sin ningún tipo de servicios, como la de Espinama-Portilla de la Reina, de 24 kilómetros si un solo pueblo en medio, o la de Gradefes a Mansilla de las Mulas, sin ningún servicio en 23 kilómetros.

MEJOR ÉPOCA: de finales de primavera a principios del otoño. En el invierno no es conveniente, o bien tendremos que ir preparados para encontrar nieve y/o hielo, con el equipamiento necesario.

MÁS INFORMACIÓN: en la web de la Asociación de Amigos del Camino de Santiago-Ruta Vadiniense, que se encarga de su mantenimiento, hay una detallada descripción del camino, con propuestas de alternativas para evitar la carretera. Su dirección es: **www.rutavadiniense.com**

FOTOS: CARLOS GONZÁLEZ DORADO "COBY"

Arriba, la primera etapa de la Ruta Vadiniense, coincidente con el sendero de gran recorrido GR-202. Izquierda, la ermita de San Bartolomé de Pedrosa del Rey, de camino a Riaño, en esta misma ruta.

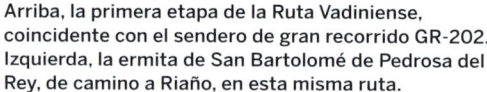

El legado de los vadinienses ha perdurado en el tiempo, no solo a través de los restos arqueológicos y las crónicas históricas, sino también en la toponimia y en las rutas que atraviesan su antiguo territorio. Como recuerdo a estos pobladores toma el nombre el Camino Vadiniense, que une el Camino Lebaniego, desde el Camino del Norte, con el Camino Francés que se

dirige hacia Santiago de Compostela. Se adentra en el corazón de los Picos de Europa, ascendiendo por valles y montañas que ofrecen vistas panorámicas espectaculares, aunque no presenta riesgos ni pasajes complicados, siendo una ruta muy poco recorrida en la que gozaremos de tranquilidad.

El peregrino parte por tanto del monasterio de Santo Toribio y pasa a remontar todo el valle de Liébana, siguiendo el curso del río Deva, hasta el circo glaciar de Fuentedé. Aquí el caminante se enfrenta al tramo más duro, que lle-

vará a la mayor altitud de todo el recorrido: el collado de Remoña, a 1789 metros. Estamos en el eje de la Cordillera Cantábrica, que regala unas vistas inigualables de las cumbres circundantes, como la cercana Peña Remoña, la Torre Salinas o incluso, en los días despejados, se puede llegar a divisar la Torre Cerredo, el techo de la Cordillera, con 2648 m. Históricamente este tramo de la ruta se utilizó por lebaniegos y valdeonenses principalmente para comerciar; recibe el sobrenombre de Senda del Mercadillo o del Mercado, y está balizado como sendero de

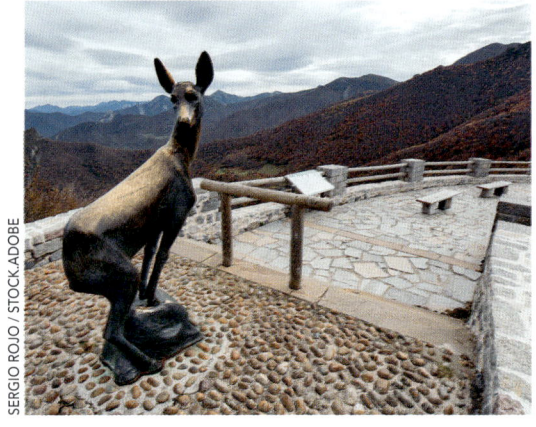

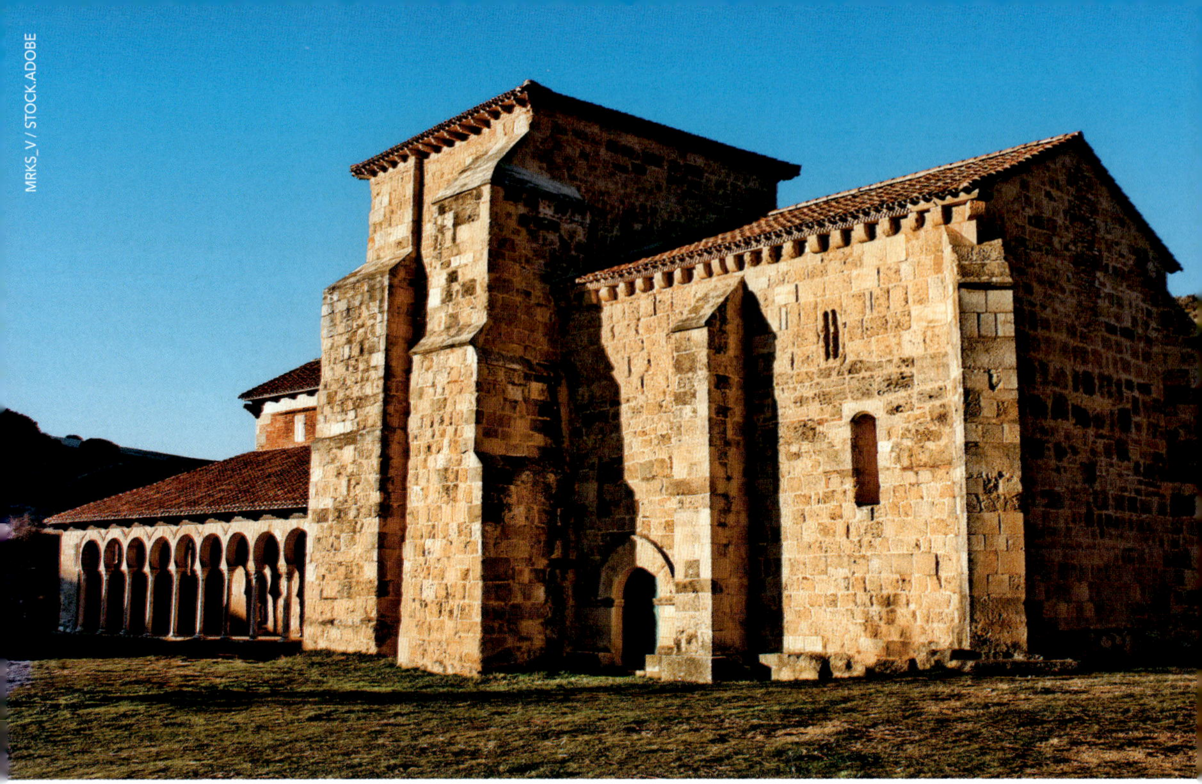

MRKS_V / STOCK.ADOBE

pequeño recorrido por el Parque Nacional de Picos de Europa.

Desde el collado de Remoña, el Camino Vadiniense se separa del PR para ir hacia el puerto de Pandetrave (1562 m) por una pista. Aquí se toma una estrecha carretera (LE-2703) que lleva hasta Portilla de la Reina, perteneciente a la mancomunidad de Riaño y situada en un espectacular entorno montañoso. Tanto en este tramo como en el siguiente, que lleva a Cistierna, hay que pisar mucha carretera, si bien se puede esquivar por senderas laterales o utilizando algunas variantes.

Una vez dejamos atrás Cistierna y las montañas, el paisaje cambia por completo, adentrándonos en la llanura hasta el río Esla, que cruzamos por el puente del Mercadillo. El camino sigue en parte la Vía Saliámica, una antigua calzada romana. Continúa el trayecto por terreno amable, ya sin el desnivel que hemos superado, con un paisaje más uniforme que atraviesa distintas localidades. El atractivo pasa a recaer en los tesoros arquitectónicos que vamos encontrando, como la iglesia románica del monasterio de Santa María de Gradefes y especialmente el monasterio de San Miguel de Escalada, obra de origen mozárabe de valor excepcional. Y, después de haber invertido en el unas seis o siete intensas jornadas, se llega a Mansilla de Mulas, población en la que el Camino Vadiniense se une con el Camino Francés y donde al peregrino aún le restan más de 200 km hasta el destino final en Santiago de Compostela.

SERGIO ROJO / STOCK.ADOBE

A la izquierda, el monasterio de San Martín de la Escalada, por el que pasan el Camino Vadiniés y el Camino de Santiago. Debajo, puerto de San Glorio.

CAMINO LEONÉS

LONGITUD: 36,4 km.
DESNIVEL: +2201 y -1303 m.
TRACK: https://desni.in/caminoleones
SEÑALIZACIÓN: mojones con la cruz leba-niega y la flecha amarilla. Deficiente.
ALOJAMIENTO: la presencia de alojamien-tos en La Vega, Villaverde, Llánaves de la Reina y Portilla de la Reina facilitan dividir esta dura etapa en dos jornadas. Podeis en-contrar información de los alojamientos en https://desni.in/alocaminoleones
EN BICI: hasta algo más arriba de Ledantes es posible ir en bici porque se marcha por pistas de buen firma pero con fuertes pen-dientes. Después de Ledantes es inevitable salir a la carretera N-621 a la altura del kiló-metro 126,5, más o menos donde está el mirador del Corzo.
MEJOR ÉPOCA: de finales de primavera a principios del otoño. En el invierno no es con-veniente, o bien tendremos que ir prepara-dos para encontrar nieve y/o hielo, con el equipamiento necesario. Más información: en https://www.caminolebaniego.com/caminos/ruta-leonesa.

CAMINO LEONÉS:
De Santo Toribio a Portilla de la Reina

Esta ruta se trata en realidad de una variante del Camino Vadiniense que evita la larga y costosa subida y bajada por el circo de Fuentedé y el puerto de Pandetrave. Toma una alternativa que pasa por el puerto de San Glorio, restando de esta forma algo de recorrido (unos 10 km menos) y sobre todo dureza al anterior camino. El paso principal es el Puerto de San Glorio, que en la Edad Media era un lugar clave en la comunica-ción y comercio entre Liébana y el reino de León, especialmente teniendo en cuenta que, aunque actualmente es cántabra, en la época medieval Liébana era leonesa. La teoría de que los pere-grinos que iban desde Santo Toribio a Santiago está respaldada por las ruinas del monasterio de Tresantiago, que recibía a los peregrinos y que está ubicado cerca de la aldea de Pocieda y del al-cornocal de Tolibes; bosque de alcornoques que contiene la mayor reserva corchera de Cantabria y de parte del norte de España (en Liébana los alcornoques se conocen como "sufra").

El camino se encuentra señalizado con los mojones oficiales, con la cruz lebaniega en un sentido y la señal jacobea el en contrario, si bien en muchos tramos la señalización es escasa, por lo que es importante estar atentos para no despistarse. Sube desde Potes y pasa por las localidades de Tudes, Tollo, La Vega de Liébana, Bores, Vada, Villaverde, Ledantes, Llánaves de la Reina y Portilla de la Reina, donde enlaza con el Camino Vadiniense. Tiene un tramo exigente de casi veinte kilómetros en los que no encontraremos poblaciones, el que transcurre desde Ledantes a Llánaves de la Reina, superando el puerto de San Glorio. Atención porque en el puerto las cruces lebaniegas desaparecen, quedando solo las flechas amarillas de bajada. Una vez en Llánaves, para llegar a Portilla de la Reina hay varias alternativas: bien por la estrecha carretera que se introduce en el desfiladero de la Hoz, o bien la que transcurre por un tramo del P23 (con las marcas de pequeño recorrido), subiendo por el monte y salvando el desfiladero por arriba. Esta segunda opción es más recomendable, aunque es un poco más larga y gana un centenar de metros de desnivel.

CAMINO LEBANIEGO ASTURIANO
o *Camín de los Santuarios*

Aunque sus orígenes se asientan en las antiguas vías de comunicación que enlazaban la capital asturiana con el oriente de la provincia, así como las procedentes de Liébana que llegaban a Asturias, se trata del itinerario de señalización más reciente. Es una iniciativa que partió de un acuerdo entre las Consejerías de Cultura y Turismo del Principado de Asturias con la de Cantabria en el año 2022, conmemorando el 1300 aniversario de la batalla de Covadonga. También se llama "Camino de los Santuarios" pues enlaza la catedral de Oviedo con el monasterio de Santo Toribio de Liébana, pasando por el santuario de la Virgen de la Cueva y Covadonga. Une los municipios de Peñamellera Baja, en Asturias, con el de Herrerías, en Cantabria, y desde aquí se junta en la localidad de Cabanzón con el Camino Lebaniego cántabro hasta Potes y el destino final de Santo Toribio.

Suma en total cerca de 200 kilómetros atravesando paisajes de gran valor natural, así como un patrimonio que abarca desde el prerrománico al románico, gótico y barroco, en forma de

La Santa Cueva de Covadonga, importante lugar de culto para el cristianismo, así como histórico, pues fue un punto clave en la Reconquista, vinculado a la figura de don Pelayo. A la izquierda, ciclistas en el Camino Leonés, a su paso por el alcornocal de Tolibes.

TOÑO HUERTA

iglesias, monasterios y otras construcciones de las que dejaron testimonio los antiguos pobladores de estas ricas tierras. Sus reclamos más evidentes son los tres santuarios de los que recibe el nombre. El primero la catedral gótica de San Salvador Oviedo, también conocida como Sancta Ovetensis, refiriéndose a la calidad y cantidad de las reliquias que contiene, de imprescindible visita. El segundo el lugar santo de Covadonga, con su cueva de la Virgen y su iglesia

El Camino de los Santuarios (arriba) aprovecha la traza de la Senda de Caoru para curzar a Liébana por los Picos de Europa. Derecha, el monasterio románico de San Pedro de Villanueva, con su relieve del «beso del rey Favila» (abajo).

ADOBESTOCK

adyacente. Según la leyenda, en el siglo VIII, durante la invasión musulmana de la Península Ibérica, un pequeño grupo de cristianos liderados por Don Pelayo, un noble visigodo, se refugió en la cueva de Covadonga. Aquí, la Virgen María se apareció a Pelayo y le inspiró para liderar una rebelión contra los invasores musulmanes. Esta victoria, aunque pequeña en número, fue significativa porque marcó el inicio de la Reconquista, el proceso de recuperación del territorio español bajo control musulmán.

En la cueva se encuentra una pequeña capilla con la imagen de la virgen Nuestra Señora de Covadonga, objeto de la pegrinación. Para conmemorar esta historia, cerca de ella se construyó ya a finales del s. XIX un templo neorrománico conocido como la basílica de Santa María la Real de Covadonga.

Y el tercer gran santuario es cómo no el monasterio de Santo Toribio, con su Lignum Crucis. Pero el camino recorre además muchas otras obras arquitectónicas de interés, como las ruinas de la iglesia de San Pedro de Plecín, un templo tardorrománico ubicado junto al núcleo de Alles; o el monasterio románico de San Pedro de Villanueva, con su característico relieve del «beso del rey Favila». En muchos tramos es un recorrido frondoso, que surca sierras como la del Cuera, con bosques de robles y hayas, y diversos cauces fluviales, como el del río Piloña, afluente del Sella.

Tras dejar atrás la catedral de Oviedo, va pasando por las localidades de la Pola de Siero, Nava, Villamayor, Cangas de Onís, Covadonga, Avín y Arenas. Desde aquí existen dos alternativas. Por un lado está la opción de mantenerse en el norte y dirigirse a Alles, Panes y Cabanzón, donde se une al Camino Lebaniego tradicional por Cicera hasta Potes y Santo Toribio. Esta opción presenta un recorrido total de unos 200 km que recomiendan hacer en al menos once etapas.

La segunda alternativa, al llegar a la población de Arenas se dirige al sur hacia Sotres, desde donde en una última y larga etapa, llega a Mogrovejo y desde aquí al destino final del monasterio de Santo Toribio de Liébana. Suma en total 174 kilómetros, para los que habremos de prever unas 9 jornadas. Al ser un camino de señalización reciente y poco repetido, la información disponible en la actualidad es escasa.

CAMINO LEBANIEGO ASTURIANO

LONGITUD: 174 o 200 km.
ETAPAS: se recomiendan 11 etapas para la opción por Alles y 9 para la de Sotres.
MEJOR ÉPOCA: de la primavera al otoño son las épocas más recomendables.
MÁS INFORMACIÓN: podeis encontrarla en la web **www.camindelossantuarios.com**, con descarga de app gratuita en Google Play y AppStore. Contiene mapas online y offline con las poblaciones, distancias y perfiles, así como geolocalización por GPS e información meteorológica en tiempo real.

PALENCIA – CANTABRIA

EL CAMINO LEBANIEGO CASTELLANO, EL MÁS AVENTURERO

10 días caminando o 5 días en bici

Con algo más de 220 kilómetros de recorrido y largos trayectos sin posibilidad de abastecimiento, el Camino Castellano es el que nos ofrece la mayor dosis de aventura y desafío de todas las sendas históricas de peregrinaje que llegan al fragmento de Cruz Verdadera del monasterio de Santo Toribio. Es por ello también la menos transitada, recomendable para quienes buscan alejarse del bullicio.

PESAGUERO
15km. 4h 15'

SANTO TORIBIO DE LIÉBANA
39km. 11h 10'

Ubicado en el mismo puerto de Piedrasluengas (1355 m) del que toma el nombre, este mirador es uno de los más visitados de la Montaña Palentina por sus espectaculares vistas al valle de Liébana y a los Picos de Europa, parada obligada del peregrino castellano.

PARA llegar al origen de este camino hay que remontarse a las antiguas rutas de comunicación que se utilizaban desde la época romana, que conectaban la Meseta Central con la costa cantábrica y eran utilizadas por comerciantes que transportabas sus mercancías, así como por pastores con sus rebaños. Cuando comenzó la adoración al *Lignum Crucis*, el trozo de Cruz Verdadera que se resguardó en el Monasterio de Santo Toribio de Liébana en el siglo VIII, los peregrinos comenzaron a usar estas rutas de comunicación para llegar hasta este lugar santo.

Existen otros hechos históricos que conectan Palencia con la aparentemente lejana comarca de Liébana, y es que por un lado Cervera de Pisuerga fue capital del condado de Liébana en los primeros momentos de la lucha contra los musulmanes. Por otro lado, fue precisamente un monje palentino, Toribio de Palencia, quien fundó la iglesia primitiva, conocida en un primer momento como iglesia de San Martín de Turieno, y renombrado posteriormente a Santo Toribio de Liébana. Aunque la coincidencia de nombres puede llevar a pensar que se rebautizó en honor al Toribio palentino, no hay que confundirse. El nombre lo recibe de Santo Toribio de Astorga, un leonés que viajó a Tierras Santas y de allí se trajo el trozo más grande de la cruz de Cristo que se conserva ac-

DIEGORAYACES/STOCK.ADOBE

tualmente en el mundo, objeto de peregrinaje especialmente desde que, ya en el siglo XVI, el papa concediera el privilegio de celebrar el Año Santo Lebaniego. Existen documentos de esa época y anteriores, como el Estatuto de las Romerías del Cabildo, que atestiguan que era algo normal comenzar en la ciudad palentina el viaje hasta Santo Toribio. También que muchos peregrinos que iban o volvían de Santiago por el Camino Francés, tomaban este desvío para venerar la reliquia.

Estamos por tanto ante un camino que refleja la rica historia de intercambio cultural y religio-

DARÍO RODRÍGUEZ

so entre las regiones que atraviesa: las comarcas naturales de Tierra de Campos, la Ojeda y la Montaña Palentina, para entrar en Cantabria a través del puerto de Piedrasluengas.

Vista aérea de la localidad palentina de Cervera de Pisuerga con un conjunto histórico artístico declarado Bien de Interés Cultural. Izquierda, cartel del puerto de Peñas, con la Peña Labra (2028 m) nevada detrás.

Cuatro tramos diferenciados

Tras el auge del peregrinaje en la época medieval, en los siguientes siglos el interés en estos caminos fue viviendo etapas intermitentes. Ya en 2015, respaldado por la fama del vecino Camino de Santiago, la diputación de Palencia decidió recuperar este antiguo camino de pere-grinaje hasta Santo Toribio, marcando su recorrido desde la capital castellana. La señalización, muy clara y visible, incluye paneles informativos y postes de madera similares a los de otros caminos lebaniegos. En la provincia de Palencia se utilizan balizas con brazaletes de aluminio que presentan una media cruz lebaniega y una flecha roja para indicar la direc-

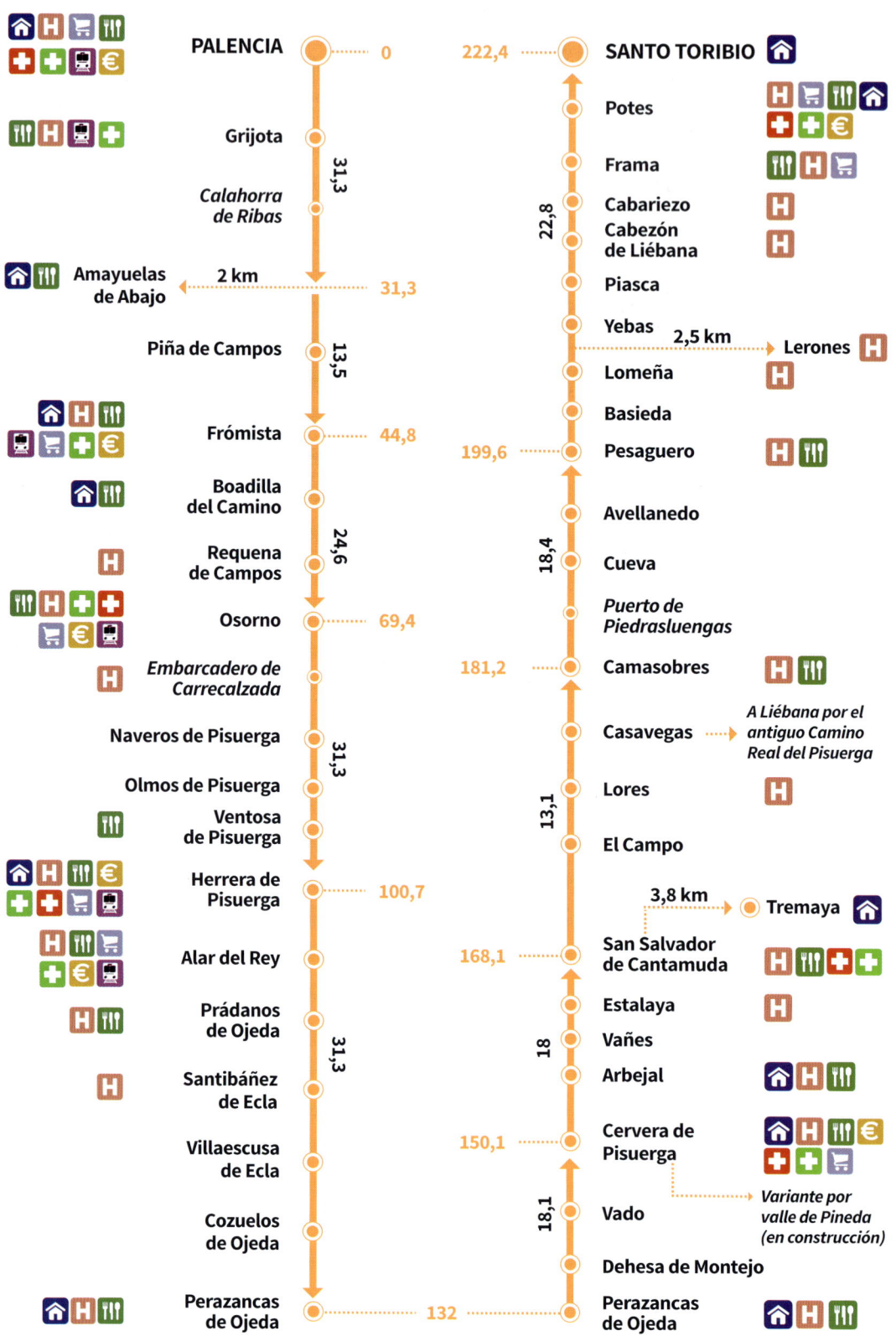

PALENCIA 0

Grijota

Calahorra de Ribas

31,3

Amayuelas de Abajo ← 2 km ← 31,3

Piña de Campos

13,5

Frómista 44,8

Boadilla del Camino

Requena de Campos

24,6

Osorno 69,4

Embarcadero de Carrecalzada

Naveros de Pisuerga

Olmos de Pisuerga

31,3

Ventosa de Pisuerga

Herrera de Pisuerga 100,7

Alar del Rey

Prádanos de Ojeda

31,3

Santibáñez de Ecla

Villaescusa de Ecla

Cozuelos de Ojeda

Perazancas de Ojeda 132

SANTO TORIBIO 222,4

Potes

Frama

22,8

Cabariezo

Cabezón de Liébana

Piasca

Yebas

2,5 km → Lerones

Lomeña

Basieda

Pesaguero 199,6

Avellanedo

18,4

Cueva

Puerto de Piedrasluengas

Camasobres 181,2

Casavegas → A Liébana por el antiguo Camino Real del Pisuerga

Lores

13,1

El Campo

3,8 km → Tremaya

San Salvador de Cantamuda 168,1

Estalaya

Vañes

18

Arbejal

Cervera de Pisuerga 150,1

Vado → Variante por valle de Pineda (en construcción)

18,1

Dehesa de Montejo

Perazancas de Ojeda

Las carreteras y pistas del Camino Lebaniego Castellano son en su mayoría ciclables. Arriba, en la encajonada subida a Piedrasluengas.

ción. Al llegar a Cantabria, además de los postes, se encuentran mojones o balizas de hormigón. El trazado marcado se realizó priorizando la seguridad de los viajeros, resultando un recorrido de unos 220 km que transcurre casi en su totalidad por rutas o senderos en el que pueden distinguirse cuatro tramos diferenciados, cada uno con sus particularidades:

1. De Palencia a Alar del Rey, transcurre a lo largo del camino de sirga del **Canal de Castilla,** brindando un paisaje sereno y plano.
2. De Alar del Rey a Cervera de Pisuerga, sigue el **Camino Natural del Románico,** ofreciendo un recorrido más variado que incluye colinas y monumentos románicos significativos.
3. De Cervera de Pisuerga al puerto de Piedrasluengas, sigue el antiguo **Camino Real** por el valle del Pisuerga, a través de montañas y bosques densos, con vistas impresionantes.
4. Desde el puerto de Piedrasluengas hasta Potes, ya en Cantabria, desciende por el **valle del río Bullón,** ofreciendo un paisaje montañoso y lleno de biodiversidad.

Estos tramos no se corresponden con etapas o jornadas. De hecho, el camino no presenta etapas fijas debido a la limitada disponibilidad de alojamientos y servicios a lo largo de la recorrido, lo que añade un toque de aventura al viaje. Actualmente, no existe una red de albergues es-

Durante toda la etapa inicial, el antiguo Canal de Castilla acompaña al peregrino en su caminar. A la derecha, vista frontal de la ermita de San Martín de Frómista, prototipo del románico europeo.

pecífica para peregrinos comparable a la de los Caminos de Santiago o al Camino Lebaniego cántabro, más transitado. En lugares como Amayuelas de Abajo, Frómista, Herrera de Pisuerga, Perazancas de Ojeda, Cervera de Pisuerga, Arbejal, Tremaya y Potes, los peregrinos deben utilizar alojamientos convencionales, como hoteles, posadas o casas rurales.

En total atraviesa o pasa cerca de 20 localidades con servicios, y por muchos otros pueblos que carecen de bares, tiendas o alojamientos. La distancia promedio entre poblaciones con algún servicio es de 11,1 kilómetros, pero hay tramos largos (hasta 24,6 kilómetros) sin ningún tipo de infraestructura, solo campo y horizonte. Debido a esto, es prudente que los caminantes planifiquen completar el recorrido en unas diez etapas, con distancias variables entre 13 y 31 kilómetros.

Aquellos con mayor resistencia pueden hacerlo en ocho o nueve jornadas, mientras que los ciclistas pueden recorrerlo en unos cinco días.

Si optas por hacerlo en bici, has de tener en cuenta que las primeras etapas, que siguen el Canal de Castilla, son relativamente planas y fáciles de recorrer. Sin embargo, desde Cervera de Pisuerga en adelante, el camino se vuelve más montañoso y con un desnivel más pronunciado, culminando en el descenso desde el puerto de Piedrasluengas hasta Potes, para el que será necesario una buena preparación física y técnica.

En diez noches y once días

Teniendo en cuenta todo explicado anteriormente, e incidiendo en la importancia de que cada persona planifique su propio recorrido en función de su preparación y necesidades, así como de la disponibilidad de los alojamientos, a continuación detallamos una de las opciones preferidas para realizar el camino a pie en once jornadas, con diez noches de pernocta.

ETAPA 1

De Palencia a Amayuelas de Abajo (31,2 km)

La primera etapa comienza en la Dársena del Canal de Castilla (a solo unos 400 metros del centro histórico) de la capital palentina y va siguiendo sin pérdida aguas arriba junto al cauce del canal, aprovechando sus sirgas o caminos de servicio. Es coincidente en los primeros tramos con el Camino Francés del Camino de Santiago. Se avanza por el margen derecho del canal, pasando por esclusas y antiguas fábricas hasta llegar a Grijota. Desde allí, continúa hacia Calahorra de Ribas, donde se puede apreciar la intersección del canal con el río Carrión y varias esclusas históricas. La etapa termina en Amayuelas de Abajo, un pequeño pueblo que ofrece alojamiento y un entorno tranquilo.

ETAPA 2

De Amayuelas de Abajo a Frómista (17,2 km)

Esta etapa sigue el Canal de Castilla hasta Frómista, un pueblo conocido por su iglesia de San Martín de Tours, uno de los mejores ejemplos de arquitectura románica en España, en excelente estado de conservación. Encontraremos asimismo otros ejemplos de arquitectura religiosa en los pueblos de Boadilla del Camino, con la iglesia de Nuestra Señora de la Asunción, así como la majestuosa Santa María la Blanca, en la localidad de Villalcázar de Sirga.

La ruta a lo largo del Canal de Castilla está rodeada de campos de cultivo, prados y pequeños bosques de ribera con álamos y sauces. Es común avistar aves acuáticas como garzas y ánades reales.

ETAPA 3

De Frómista a Osorno la Mayor (27,5 km)

El camino continúa desde Frómista hacia Osorno la Mayor, pasando por varios pueblos pequeños y zonas rurales. Esta etapa ofrece la oportunidad de visitar más iglesias románicas y disfrutar de la tranquilidad del paisaje agrícola, que incluye campos de cereales y viñedos, mientras que la

FOTOS: DIONI SERRANO

El Canal de Castilla, un sueño ilustrado

Esta destacada obra de ingeniería hidráulica se construyó entre mediados del siglo XVIII y principios del XIX, promovido por el Marqués de la Ensenada bajo el reinado de Fernando VI. Su construcción llevó casi un siglo (de 1753 a 1849) y su ambicioso objetivo era facilitar el transporte de trigo y otros productos agrícolas desde la meseta castellana hasta los puertos del norte de España. Presenta un recorrido total de 207 kilómetros, que se divide en tres ramales: el Ramal Norte, que va desde Alar del Rey hasta Calahorra de Ribas; el Ramal Sur, desde El Serrón hasta Valladolid; y el Ramal de Campos, desde Calahorra de Ribas hasta Medina de Rioseco.

En el tramo que coincide con el Camino Lebaniego Castellano, el canal atraviesa localidades como Palencia, Grijota, Amayuelas de Abajo y Frómista, correspondiente a las primeras etapas del camino. En este recorrido se puede admirar, y atravesar, muchos de sus elementos, como puentes, acueductos o esclusas (a destacar especialmente la cuádruple escusa de Frómista), que permiten salvar los desniveles del terreno y facilitar el paso de caminos y ríos. Cuenta con un Centro de Interpretación en el municipio de Herrera de Pisuerga y en su inicio, en el pueblo de Alar del Rey, se puede ver incluso los restos de los calabozos donde encerraban a los presos que utilizaron para realizar la construcción.

Jugó un papel importante en la economía de la región como vía de transporte de mercancías, reconvertido en el s. XIX, con la llegada del ferrocarril, en canal de riego y motor para los molinos harineros. En la actualidad su uso se limita casi exclusivamente a actividades turísticas y recreativas. La Confederación Hidrográfica del Duero es la entidad encargada de la conservación y gestión de esta obra que es un testimonio vivo del ingenio y la laboriosidad de la época en la que fue concebido.

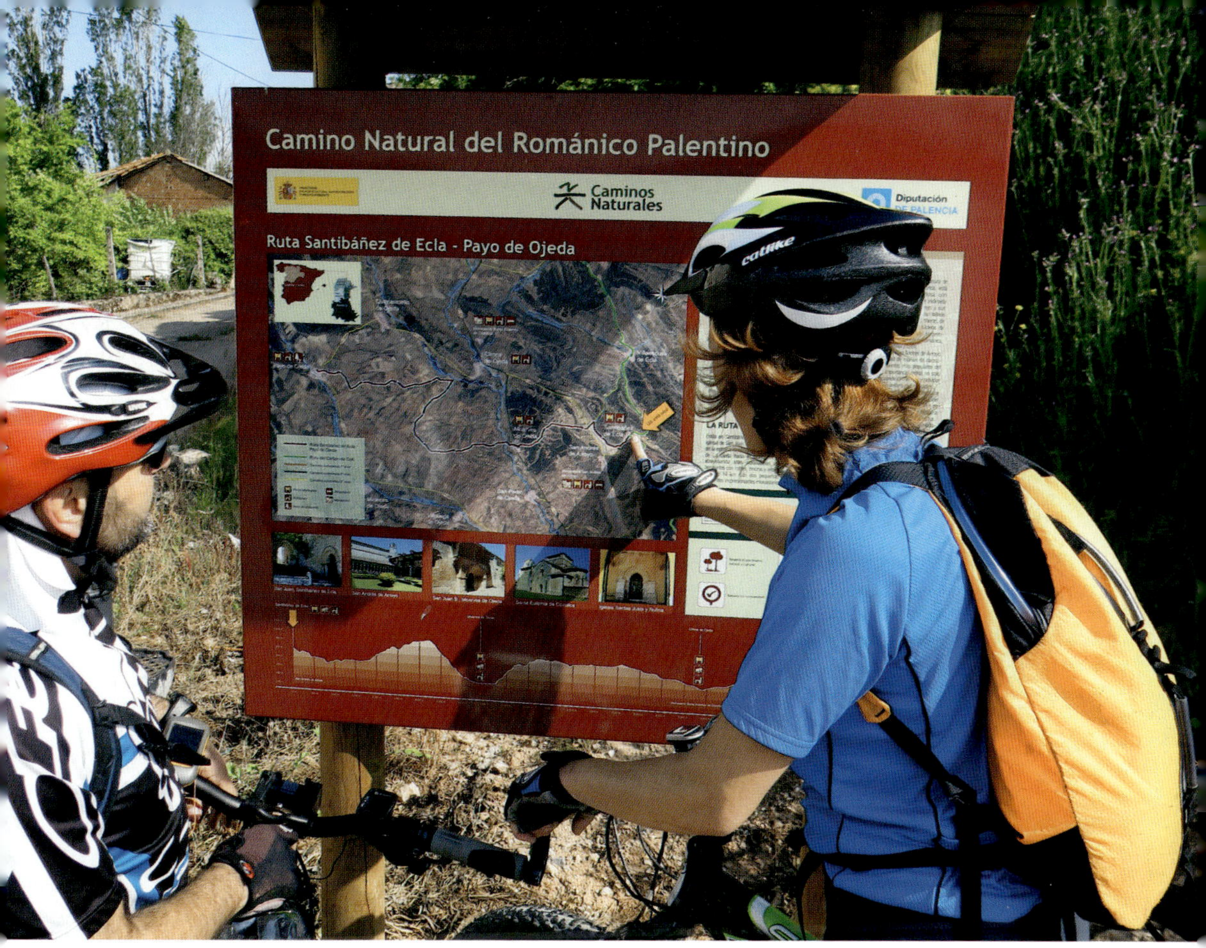

ALMODERNA / STOCK.ADOBE

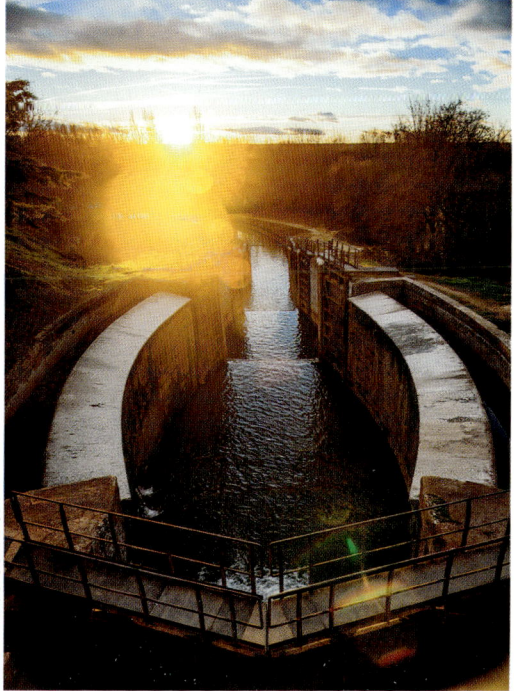

Para la realización del Canal de Castilla (s.XVIII) hubo que salvar desniveles de cientos de metros, con toda una ingeniería del transporte que incluyó numerosas esclusas, como la cuádruple de Frómista que vemos en estas páginas, desde distintas perspectivas. Arriba, unos ciclistas consultan la señalización del camino.

fauna está representada por aves de presa y pequeños mamíferos como conejos y liebres. La localidad de Osorno la Mayor contiene varias iglesias históricas y servicios para los peregrinos.

ETAPA 4

De Osorno la Mayor a Herrera de Pisuerga (19,5 km)

Esta etapa lleva a los peregrinos desde Osorno la Mayor a través de colinas suaves y campos abiertos hasta Herrera de Pisuerga. A medida que el camino se va alejando del canal, el terreno comienza a presentar algún desnivel levemente pronunciado y con una vegetación más variada, con la presencia de encinares y robledales. Herrera, localidad en la que encontraremos alojamientos y servicios, es conocida por sus restos arqueológicos romanos y en especial por su Castillo de Herrera, una antigua fortaleza con excelentes vistas del valle del Pisuerga.

ETAPA 5
De Herrera de Pisuerga a Alar del Rey (14,3 km)

Desde Herrera de Pisuerga, el camino sigue la ribera del río Pisuerga hasta Alar del Rey, el punto de inicio del Canal de Castilla, el cual dejaremos definitivamente atrás en este día. Esta etapa es relativamente corta y permite llevar un paso más relajado, disfrutando de la naturaleza fluvial.

ETAPA 6
De Alar del Rey a Perazancas de Ojeda (26,3 km)

El camino se adentra en la comarca de la Montaña Palentina, ofreciendo paisajes de montaña y bosques densos. A partir de aquí, ya sin la guía del canal, tendremos que estar siempre atentos a las señalizaciones e indicaciones del camino con la cruz lebaniega, especialmente en las bifurcaciones o tramos con vegetación densa. La localidad de destino de esta etapa, Perazancas de Ojeda, en la que podremos pernoctar y reabastecernos, cuenta con dos buenos ejemplos de la arte románico: la iglesia de la Nuestra Señora de la Asunción y la ermita de San Pelayo, una joya arquitectónica del siglo XI que destaca por su sencillez y belleza.

ETAPA 7
De Perazancas de Ojeda a Cervera de Pisuerga (24,7 km)

Esta etapa lleva a los peregrinos a través de paisajes montañosos y pueblos históricos hasta Cervera de Pisuerga, una localidad con un rico patrimonio cultural y natural, además de ofrecer

NANDI ESTÉVEZ / STOCK.ADOBE

abastecimiento y servicios. A su entrada se encuentra el eremitorio rupestre de San Vicente, una ermita excavada en la roca, que incluye nichos y un altar. También en Cervera es posible visitar el centro de interpretación "Casa del Parque Natural Montaña Palentina", dedicada a la conservación y divulgación de la rica biodiversidad y patrimonio natural de esta región, con exposiciones interactivas e información sobre rutas y otras actividades. E igualmente en esta localidad encontramos el museo etnográfico Piedad Isla, con una amplia colección de objetos que reflejan la vida y costumbres de la zona, incluyendo herramientas, vestidos o juguetes tradicionales.

La iglesia románica de San Salvador de Cantamuda, con su característica torre campanario. Izquierda, una de las excavaciones en la roca del eremitorio rupestre de San Vicente, situado a la entrada de Cervera de Pisuerga, que incluye nichos y un altar.

ETAPA 8
De Cervera de Pisuerga a San Salvador de Cantamuda (22,3 km)

El camino continúa por la Montaña Palentina hasta San Salvador de Cantamuda, donde se encuentra la Colegiata de San Salvador, una ejemplo del románico palentino e importante atractivo turístico para amantes del arte y la historia medieval, con su característica torre campanario adosada al templo. Atravesaremos el valle de Pineda, disfrutando de los paisajes de la Montaña Palentina. También los bosques nos acompañan a lo largo de esta etapa y, si somos observadores, incluso podemos llegar a distinguir algún rastro de la presencia de osos pardos, quizá en forma de heces o arañazos en los troncos de los árboles. Aunque encontrarse con uno es un hecho muy excepcional, su figura sigue estando muy presente en las historias y leyendas de los lugareños.

ETAPA 9

De San Salvador de Cantamuda a Camasobres (16,3 km)

Esta etapa es relativamente corta y sigue el valle del río Pisuerga, pasando por varios pueblos pequeños y bosques de robles y hayas son comunes.

Incluso, si tenemos suerte, podemos avistar algún ciervo, así como una gran variedad de aves. Camasobres es un pequeño y tranquilo pueblo con impresionantes vistas; un lugar ideal para descansar antes de la etapa más exigente.

ETAPA 10

De Camasobres a Piedrasluengas y a Pesaguero (20,4 km)

La etapa final en la provincia de Palencia lleva a los peregrinos por un valle hasta el collado de Sobrepeñas que, con 1.460 metros de altitud, es el punto más alto de todo este Camino Castellano. A partir de aquí empieza una larga bajada de casi mil metros de desnivel, que pasa por el imprescindible mirador de Piedrasluengas, con sus espectaculares vistas a los Picos de Europa. Después de numerosas curvas arribamos junto al cauce del río Bullón, el cual seguiremos hasta llegar a la localidad de Pesaguero, ya en Cantabria.

En la página izquierda, dos estampas del valle de Pineda, en Palencia, recorrido por el por el río Carrión y rodeado de las cumbres de la Cordillera Cantábrica.

GUÍA DEL VIAJERO

LONGITUD: 222 km.
DESNIVEL: +2790 m y -3035 m.
SEÑALIZACIÓN: ruta marcada en su totalidad con señales de dirección, balizas, paneles y mojones con el símbolo propio.
TRACK: https://desni.in/lebaniegocastellano

IMÁS INFORMACIÓN: en la página **www.caminolebaniegocastellano.es** hay una descripción muy completa del camino, dividido en las mismas etapas en las que nos hemos basado en este reportaje. También en las webs Gronze: **www.gronze.com/camino-lebaniego-castellano** y en la oficial del Camino Lebaniego, donde plantea igualmente 10 etapas, si bien algunas difieren a las aquí propuestas: **https://www.caminolebaniego.com/caminos/ruta-castellana.**

DÓNDE DORMIR: hay albergue de peregrinos en Frómista y en Potes. Además hay albergues municipales bajo gestión privada en Herrera de Pisuerga, Perazancas de Ojeda, Cervera de Pisuerga. En el resto de poblaciones tendremos que acudir a alojamientos como pensiones, hoteles, casas rurales... Es importante hacer una buena planificación y reservar con anticipación.

EN BICICLETA: prácticamente todo el camino se puede hacer en bicicleta de montaña o gravel.

ÉPOCA: la primavera tardía y el otoño temprano son las mejores temporadas para este viaje.

La visión del monasterio de Santo Toribio hace olvidar el cansancio del peregrino, feliz de llegar a su destino.

ETAPA 11

De Pesaguero a Santo Toribio de Liébana (18,3 km)

El tramo final del camino es uno de los más entretenidos, que va pasando por pequeños pueblos (en los que no encontraremos prácticamente tiendas ni servicios) y atravesamos el paisaje verde del valle de Liébana. A destacar la iglesia románica de Santa María de Piasca y los relieves con figuras bíblicas de su portada. Alcanzamos después la capital de la comarca, Potes, con su habitual bullicio en verano. Y por fin la subida que nos lleva al Monasterio de Santo Toribio, el destino del peregrinaje, un último esfuerzo que se verá recompensado con la visión del *Lignum Crucis* y el estampado del último sello para obtener la "Lebaniega", acreditación que certifica que se ha completado la peregrinación.

Una histórica pasarela de lujo

Una vez cumplido con Santo Toribio, el peregrino castellano mira al norte, dirección al mar, y se le abre la posibilidad de tomar la pasarela histórica que atraviesa la tierra del hombre que entronó a Santiago como patrón de España, el beato de Liébana, y proseguir su caminar hasta la costa. Recorrerá entonces el Camino Lebaniego partiendo del monasterio con destino a San Vicente de la Barquera, donde nace el Camino del Norte que va a Santiago, uniendo de esta forma estas rutas históricas de peregrinaje por el camino de las flechas rojas, el Lebaniego.

La ruta transcurre acompañando los ríos Deva y Nansa hacia su desembocadura en el Cantábrico, donde el peregrino podrá remojar sus cansados pies. Tanto para el castellano como para el que viene del sur por el Camino Francés, el Camino Lebaniego que nace en San Vicente pasa a ser otra variante más del Camino del Norte, que se suma al de la Costa, al Primitivo (desde Asturias) y al Camino del Interior vasco-riojano. Se evidencia así la fuerte conexión de estos dos caminos, el Lebaniego y el Camino de Santiago, ambos Patrimonio Mundial de la UNESCO. **// Redacción GE.**